L'Aventure amoureuse

Révision: Brigitte Lépine
Design graphique: Johanne Lemay
Infographie: Chantal Landry

Catalogage avant publication de Bibliothèque et
Archives nationales du Québec et Bibliothèque et
Archives Canada

Vézina, Jean-François

L'aventure amoureuse: de l'amour naissant à l'amour
durable

1. Amours. 2. Séduction. 3. Relations entre hommes
et femmes. 4. Relations humaines. I. Titre.

HQ801.V49 2008   306.73   C2007-942573-9

Pour en savoir davantage sur nos publications,
visitez notre site: **www.edhomme.com**
Autres sites à visiter: www.edjour.com
www.edtypo.com • www.edvlb.com
www.edhexagone.com • www.edutilis.com

01-08

Dépôt légal: 2008
Bibliothèque et Archives nationales du Québec

ISBN: 978-2-7619-2263-0

DISTRIBUTEURS EXCLUSIFS:

• Pour le Canada et les États-Unis:
  MESSAGERIES ADP*
  2315, rue de la Province
  Longueuil, Québec J4G 1G4
  Tél.: 450 640-1237
  Télécopieur: 450 674-6237
  * une division du Groupe Sogides inc.,
    filiale du Groupe Livre Quebecor Média inc.

• Pour la France et les autres pays:
  INTERFORUM editis
  Immeuble Paryseine, 3, Allée de la Seine
  94854 Ivry CEDEX
  Tél.: 33 (0) 4 49 59 11 56/91
  Télécopieur: 33 (0) 1 49 59 11 33
  Service commandes France Métropolitaine
  Tél.: 33 (0) 2 38 32 71 00
  Télécopieur: 33 (0) 2 38 32 71 28
  Internet: www.interforum.fr
  Service commandes Export – DOM-TOM
  Télécopieur: 33 (0) 2 38 32 78 86
  Internet: www.interforum.fr
  Courriel: cdes-export@interforum.fr

• Pour la Suisse:
  INTERFORUM editis SUISSE
  Case postale 69 – CH 1701 Fribourg – Suisse
  Tél.: 41 (0) 26 460 80 60
  Télécopieur: 41 (0) 26 460 80 68
  Internet: www.interforumsuisse.ch
  Courriel: office@interforumsuisse.ch
  Distributeur: OLF S.A.
  ZI. 3, Corminboeuf
  Case postale 1061 – CH 1701 Fribourg – Suisse
  Commandes: Tél.: 41 (0) 26 467 53 33
  Télécopieur: 41 (0) 26 467 54 66
  Internet: www.olf.ch
  Courriel: information@olf.ch

• Pour la Belgique et le Luxembourg:
  INTERFORUM editis BENELUX S.A.
  Boulevard de l'Europe 117,
  B-1301 Wavre – Belgique
  Tél.: 32 (0) 10 42 03 20
  Télécopieur: 32 (0) 10 41 20 24
  Internet: www.interforum.be
  Courriel: info@interforum.be

Gouvernement du Québec – Programme de crédit
d'impôt pour l'édition de livres – Gestion SODEC –
www.sodec.gouv.qc.ca

L'Éditeur bénéficie du soutien de la Société de développement des entreprises culturelles du Québec pour
son programme d'édition.

Le Conseil des Arts du Canada
The Canada Council for the Arts

Nous remercions le Conseil des Arts du Canada de
l'aide accordée à notre programme de publication.

Nous reconnaissons l'aide financière du gouvernement du Canada par l'entremise du Programme d'aide
au développement de l'industrie de l'édition (PADIÉ)
pour nos activités d'édition.

Jean-François Vézina

L'Aventure amoureuse

La Carte de L'Aventure Amoureuse

De l'amour naissant à l'amour durable

LES ÉDITIONS DE L'HOMME

À Isabelle,

Pour m'avoir sauvé
de l'itinérance affective.

Et à Florence,

Notre intrépide petite cosmonaute
venue explorer l'Amour-durable
avec nous.

*C'est en voyageant loin avec quelqu'un
qu'on peut savoir si on est proche.*

CÉDRIK CLAPISCH
Les poupées russes

Avant-propos

Et si l'amour ce n'était pas «quelque chose», mais plutôt «quelque part[1]»? Nous avons exploré à ce jour une bonne partie de la planète, sillonné toutes les mers et les fleuves et posé le pied sur la plupart des îles. Après avoir bravé les forces de la nature, nous évoluons maintenant sur tous les continents, mais qu'en est-il de ce lieu mystérieux où nous nous retrouvons lorsque nous tombons en *Amour*?

En l'absence de repères et de balises, cette aventure peut éveiller des angoisses semblables à celles suscitées par les explorations d'autrefois en mers inconnues. Ce n'est d'ailleurs peut-être pas un hasard si l'une des définitions du mot relation[2], selon *Le Petit Robert*, est justement: «Un récit fait par un voyageur ou un explorateur». Toute relation est donc intimement liée à l'idée de voyage et d'exploration, comme dans le livre *Les relations des Jésuites au Nouveau Monde*.

En tant que psychologue, un peu comme un gardien de phare, je suis témoin de nombreuses aventures d'explorateurs et d'exploratrices qui cherchent à se rendre loin mais qui font parfois naufrage dans leur recherche de l'*Amour*. J'ai voulu partager avec vous le courage et la créativité de leurs relations au «Nouveau Monde amoureux», tout en préservant leur anonymat.

---

1. Expression du romancier québécois Réjean Ducharme.
2. Le terme anglais crée une image intéressante avec les mots *relationship* ou *friendship*, que nous pouvons associer soit au voyage, soit à un «navire» (*ship*) de la relation ou de l'amitié.

Pour ce faire, j'ai condensé mes observations dans le parcours d'Ariane et Vincent, que vous retrouverez tout au long des différentes étapes de l'Aventure amoureuse. J'ai aussi ajouté, au début des chapitres, mes propres observations et impressions de voyage et vous serez invité à découvrir les étapes de votre parcours amoureux au moyen de cartes-exercices à la toute fin.

Dans ce livre, je n'utiliserai pas les voies de la théorie comme dans mes précédents essais[3]. Je n'ai d'ailleurs aucunement la prétention de pouvoir expliquer ce qu'est l'amour. On a trop tenté de le définir à coup de théories, pour bien souvent en perdre le sens et la dimension sacrée. Et puis, de toute façon, même si les hommes venaient de Mars et les femmes de Vénus, nous devrions malgré tout trouver un endroit pour vivre nos relations amoureuses quelque part...

Contrairement à certains gourous de la psycho pop, je ne prétends pas être en mesure de « réparer » un couple en difficulté. Je ne crois pas non plus détenir le pouvoir de le rendre heureux et encore moins d'inventer des méthodes miracles pour lui permettre de se nettoyer. En revanche, je proposerai un voyage et un chemin qu'il sera libre ou non d'emprunter. Pour montrer ce chemin, j'aurai recours à des cartes géographiques illustrant les différentes régions de l'*Amour*.

J'ai toujours été fasciné par les anciennes cartes, qui éveillent en moi le désir de voyager et d'explorer. Qui n'a pas rêvé en les parcourant, de partir, tel un Stevenson ou un Melville, à la découverte de nouveaux mondes ? Une carte présente un idéal pratique qui peut être très utile pour redonner du sens à nos relations amoureuses.

Je crois très sincèrement qu'il faut recommencer à imaginer de nouvelles avenues pour le couple d'aujourd'hui. Rechercher l'*Amour-durable*[4]– la destination que je propose, et l'habiter

---

3. Vous trouverez en annexe les ouvrages de référence consultés pour la synthèse des différentes étapes du parcours amoureux.
4. Le terme est emprunté ici au livre de Jacques de Bourbon Busset, *L'amour durable,* publié en 1969.

avec une personne – est peut-être une utopie pour certains, mais elle est nécessaire. L'*Utopie* (du latin *u-topos*) est un lieu qui n'existe pas encore, mais qui nous inspire et nous incite à nous dépasser. L'*Amour-durable* est le lieu de tous les défis, la *terra incognita* de nos relations. C'est un endroit que malheureusement trop peu de couples fréquentent, mais qu'il est essentiel d'habiter, alors que la planète peut encore supporter nos passionnantes Aventures amoureuses...

Introduction

Si nous étions des voyageurs à la recherche d'une terre nouvelle, tout comme les premiers explorateurs qui voulaient franchir l'océan pour atteindre le Nouveau Monde, nous y projetterions sûrement nos espoirs les plus fous comme nos angoisses les plus profondes. Plusieurs imagineraient une terre idéale où enfin les besoins de chacun seraient comblés, alors que d'autres auraient peur de quitter le rivage. Certains, profondément blessés dans de précédents voyages, ne voudraient plus jamais y retourner et d'autres, plus sceptiques, ne croiraient tout simplement pas à son existence...

Pour ceux qui voudraient s'aventurer en *Amour*, il serait utile d'en connaître la géographie qui pourrait ressembler à ceci :

D'abord, il y aurait un vaste *océan de Rencontres* sur lequel le commerce et le trafic seraient très abondants. Plusieurs navigueraient à haute vitesse sur cet océan, à la recherche de la terre promise.

Autour des *terres du Célibat* émergeraient quatre grandes régions correspondant aux étapes d'une rencontre évoluant jusqu'à une relation amoureuse durable :

1. Les *terres de l'Amour-naissant* et de *l'Amour-passion*.
2. La *vallée du Quotidien*, son *désert de l'Ennui* et ses *montagnes de Stress*.

3. Les *terres de Reconnaissance* avec leur impitoyable *jungle des Jeux-de-pouvoir.*

4. L'*Amour-durable* où culmine le *mont des Buts-communs.*

Ces lieux évoquent les étapes essentielles du parcours amoureux. Ils couvrent la fusion initiale, la confrontation à la réalité, le conflit des opposés, une saine reconnaissance de la différence, puis finalement, la relation réelle et durable entre deux êtres autonomes et distincts.

Quand et comment pouvons-nous aller en *Amour* ? Nous pouvons certainement décider de vivre n'importe quand des aventures dans l'*île des Plaisirs.* Mais la véritable Aventure amoureuse débute lorsque nous décidons de faire entrer quelque chose de nouveau dans notre vie. Nous sommes déposé en *Amour-naissant* lorsque nous sommes prêt à abandonner un ancien mode de vie, tout comme les premiers colons devaient quitter pays et famille pour un nouveau monde, lorsque la nécessité s'en faisait sentir. Après cette rencontre en *Amour-naissant,* une institution, celle du couple, tente la grande aventure : celle de s'installer quelque part sur une terre solide et fertile.

Toutefois, au lieu de s'établir en *Amour-durable,* plus de 75 % des couples modernes s'installent dans la *jungle des Jeux-de-pouvoir* ou dans l'*île de la Dépendance.* J'ai remarqué que tout comme les premiers explorateurs arrivant au Nouveau Monde, nous créons des environnements affectifs qui font écho à notre culture passée. Il ne serait donc pas étonnant d'observer une femme qui quitterait une mère tyrannique dans l'ancien pays de l'*Enfance* et, bien que remplie d'espoir pour une terre nouvelle, se retrouve dans un climat de terreur avec un dictateur impitoyable sur l'*île de la Dépendance* ou dans la *jungle des Jeux-de-pouvoir,* par exemple.

Il n'est donc pas aisé d'approcher l'*Amour-durable.* Cette aventure a son lot d'écueils et de défis. Voici les principaux décrits dans ce livre :

1. Traverser la *vallée du Quotidien,* entre le *désert de l'Ennui* et les *montagnes de Stress,* en empruntant le *sentier du Jeu.*
2. Voyager librement sur l'*île de la Dépendance* en s'orientant avec la *boussole de l'intelligence émotionnelle* et en se guidant sur le *ciel des Désirs.*
3. Composer avec les multiples tentations des autres voyageurs, comme les *vaisseaux fantômes des «ex»* et les *vaisseaux pirates.*
4. Résoudre avec créativité les conflits de la terrible *jungle des Jeux-de-pouvoir* pour revenir sur les *terres de Reconnaissance* et poursuivre sa route vers l'*aire de Respect.*

J'ai remarqué que les couples qui s'aventurent loin en *Amour-durable* voyagent de façon «écologique» et responsable. C'est-à-dire qu'ils recyclent au fur et à mesure les frustrations et les blâmes en les transformant en demandes claires et précises. Ils assument la part de chaos et les conflits insolubles liés aux différences, et privilégient les voies de solutions imaginatives plutôt que de recourir au mortel et polluant *lancer du blâme.*

Malheureusement, de nombreux couples s'entêtent plutôt à arpenter les mêmes vieux chemins. Le sentier entre *T'as-tort* et *J'ai-raison,* conduisant directement à la *jungle des Jeux-de-pouvoir,* est fort prisé. Dans ce livre, trois régions peuvent être traversées pour sortir de cette jungle infernale :

1. L'*aire de Respect.*
2. Les *plaines de Confiance.*
3. Le *mont des Buts-communs.*

Ces lieux sont tous traversés par le *sentier du Jeu,* qui permet aux voyageurs de ne pas se cogner continuellement l'un contre l'autre, ce qui arrive très souvent en *Amour.* Malheureusement, dans les conflits intenses de la *jungle des Jeux-de-pouvoir,* tout comme dans les guerres modernes, les dommages collatéraux affectent les civils que sont nos enfants...

Voilà, en résumé, les étapes de cette grande aventure, décrites et illustrées dans les prochains chapitres. Si vous n'êtes pas en *Amour,* ces cartes vous guideront dans la préparation de vos prochains voyages amoureux. Si vous y êtes déjà, elles vous aideront, je l'espère, à vous approcher, si c'est votre souhait le plus cher, des terres verdoyantes de l'*Amour-durable.*

Bon voyage !

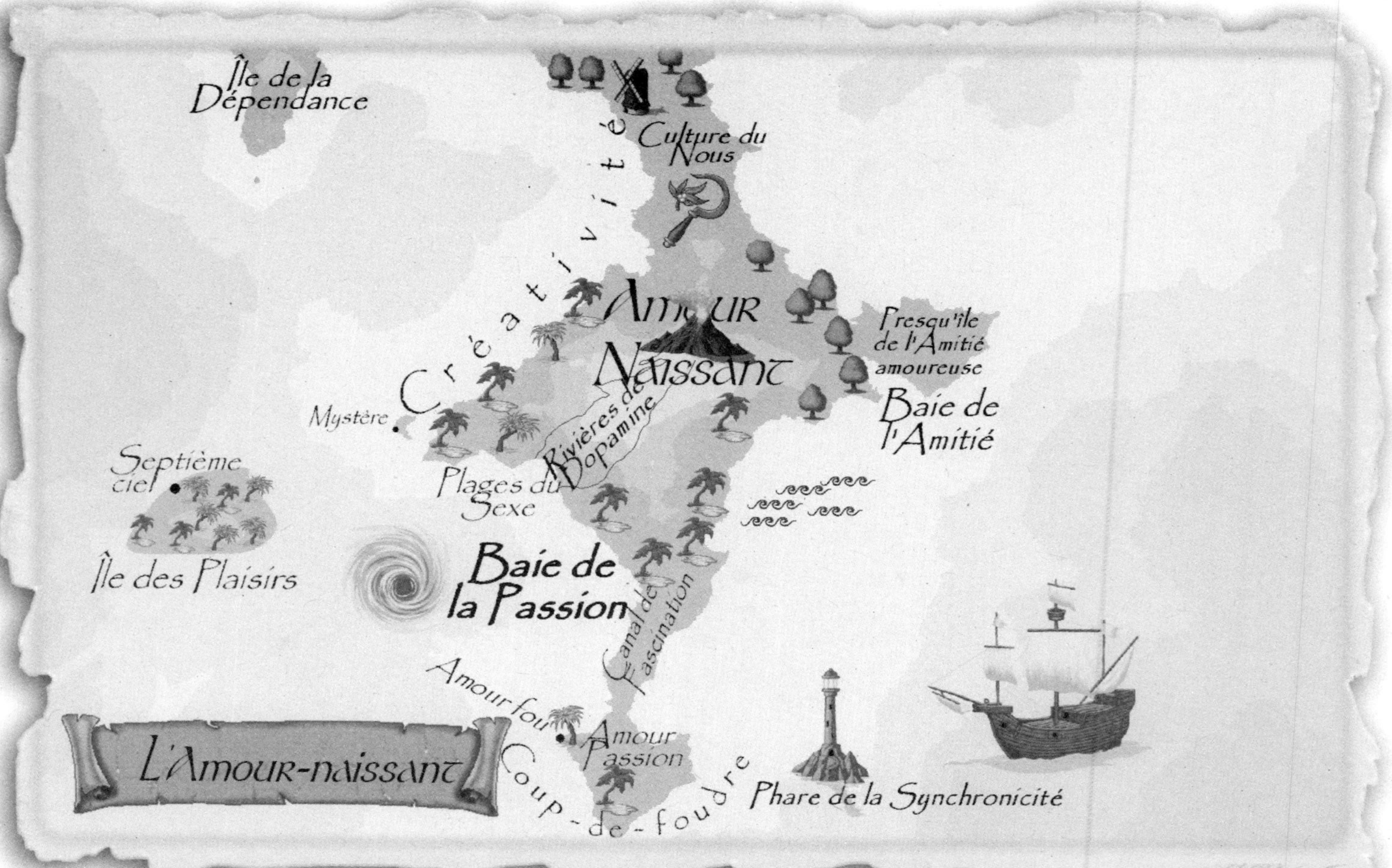

L'Amour-naissant

Île de la Dépendance

Culture du Nous

Créativité

Amour Naissant

Presqu'île de l'Amitié amoureuse

Baie de l'Amitié

Rivières des Éphémères

Plages du Sexe

Mystère

Septième ciel

Île des Plaisirs

Baie de la Passion

Canal de l'analyse de la fascination

Amourfou Amour passion

Coup-de-foudre

Phare de la Synchronicité

Les terres de l'Amour-naissant

*L'amour naît d'abord entre les deux
moitiés d'un seul et même individu divisé.*

PLATON

*Toutes nos faillites sont des
faillites de l'imagination.*

PIERRE DANSEREAU

J'ai longtemps bourlingué sur le vaste *océan de Rencontres*. Cédant au chant des sirènes, j'ai vécu de nombreuses aventures dans l'*île des Plaisirs,* et je me suis retrouvé plus souvent qu'autrement dans l'*abysse des Amours-impossibles* ou prisonnier de l'*île de la Dépendance.* J'approchais de l'*Amour* sans jamais y poser le pied véritablement. Il a donc fallu une révolution pour que je me décide enfin à y jeter l'ancre. C'est la rencontre avec ma compagne de voyage actuelle qui m'a sorti de mon itinérance affective et m'a fait redécouvrir les *terres de l'Amour-naissant* et des régions de l'*Amour* que je n'avais jusque-là jamais visitées.

Si on se fie à la carte, nous atteignons cette première étape après être passé par la *baie de l'Amitié,* celle *de la Passion* ou par le *cap du Coup-de-foudre*[5]. J'ai toutefois observé que nous ne pouvons y accéder volontairement. Malgré la multitude d'agences de tourisme qui existent de nos jours, aucune compagnie aérienne ou maritime ne dessert ce lieu et aucune compagnie d'assurances ne peut nous dédommager en cas de problème. Vous l'avez probablement remarqué, nous débarquons en *Amour* sans avoir toujours tout ce qu'il faut, c'est-à-dire sans être parfait. Nous devons, pour y voyager, apprendre à vivre avec notre corps, même si parfois il nous déplaît, et accepter qu'il devienne moins performant avec l'âge. Nous devons aussi transporter notre bagage, c'est-à-dire notre héritage familial et personnel, et le porter tout au long de l'Aventure amoureuse.

Heureusement, nous n'arrivons généralement pas seul, ni par hasard, en *Amour.* Nous y arrivons avec une personne qui sera notre guide, tout comme nous serons le sien. En *Amour-naissant,* c'est notre inconscient qui choisit notre partenaire et nous aurons tout le voyage pour comprendre ce choix afin de l'assumer ou de le rejeter.

Par ailleurs, que la personne choisie décide ou non de nous suivre en *Amour,* notre choix de partenaire nous révélera à nous-même. L'aventure qui s'amorce est alors, comme tout voyage, prometteuse d'une succession de rencontres avec nous-même et avec l'autre, que nous aurons à apprivoiser pour progresser vers une relation durable.

Que rencontrons-nous en *Amour-naissant*? Comment savoir si nous y sommes? Selon le plus grand «géographe» de l'*Amour* et le découvreur de cet État, Francesco Alberoni, l'un des signes qui ne trompe pas est celui de désirer intensément

---

5. Il est intéressant de noter que lors d'un éclair, il y a à la fois une lumière intense et une révélation de l'ombre. Comme un éclair dans le ciel qui illumine et assombrit tout à la fois, un coup de foudre révèle une partie de notre ombre.

découvrir de nouvelles réalités avec l'autre. L'*Amour* est toujours une promesse de voyage, l'espérance d'un ailleurs. Lorsque nous voulons réinventer le monde avec une personne que nous venons de rencontrer, il y a de fortes chances que nous soyons arrivé en *Amour-naissant*.

Quand j'ai ressenti le désir de découvrir la Tunisie avec ma compagne, alors que toute ma vie j'avais préféré voyager seul, j'ai su qu'il y avait là un signe que cette rencontre était particulière. Cela représentait un réel changement de cap dans ma vie. Je m'attendais à voyager seul, mais ma compagne m'a présenté un nouveau monde de possibilités et un projet de famille que je n'avais jusque-là jamais envisagé.

Ce désir de découvrir le monde peut aussi prendre la forme de conversations passionnées qui s'étirent pendant des heures et nous donnent un sentiment de connexion avec l'autre, une impression qu'il nous est possible de réinventer monde.

Un autre indice que nous nous trouvons en *Amour-naissant* est l'impression de facilité qui se dégage de la relation, comme si nous vivions dans un hôtel où tous les services étaient inclus et gratuits en début de séjour. Généralement, nous n'avons aucun effort à faire pour être bien avec l'autre. Nos besoins sont comblés sans que nous ayons à demander quoi que ce soit, comme dans une formule Club Med multiservices tout inclus.

En *Amour-naissant*, nous nous sentons unique. Pour la première fois, en dehors de nos parents, une personne semble nous reconnaître réellement. C'est bien sûr une illusion typique de ce lieu. Alors que tout semble gratuit et facile en *Amour-naissant*, par la suite il y aura un investissement à fournir pour être reconnu et reconnaître l'autre dans le voyage. Beaucoup de voyageurs ne dépassent jamais l'*Amour-naissant*, car ils demeurent prisonniers de cette illusion. Ils attendent davantage de l'*Amour* que ce qu'ils peuvent eux-mêmes lui apporter et se retrouvent donc expatriés de cet État amoureux dont ils refusent de payer la note...

La presqu'île de l'Amitié-amoureuse

À la suite des témoignages reçus, j'ai pu observer l'existence d'un endroit proche de l'*Amour-naissant* qui est une destination fort populaire de nos jours: la *presqu'île de l'Amitié-amoureuse*. Certaines personnes la désignent comme la *région des Amis-Amants*.

Que dire de ce lieu? Est-il en *Amour* ou en *Amitié*? C'est plutôt un endroit propice aux rencontres fortuites du voyage. Nous ne désirons pas nécessairement faire un long bout de chemin avec les gens que nous y rencontrons, mais nous apprécions la spontanéité et la fraîcheur de leur amitié, le temps d'une escale. Le problème se complique toutefois lorsque l'un des deux partenaires désire continuer le voyage et l'autre non. C'est pourquoi il est important que chacun soit honnête par rapport à ses attentes et à la destination qu'il souhaite atteindre.

Pour avoir fréquenté la *presqu'île de l'Amitié-amoureuse* à quelques reprises, j'ai observé que lorsque j'y étais, je ne désirais pas nécessairement redécouvrir et réinventer le monde avec la personne qui m'accompagnait, et que la fascination que j'éprouvais pour elle était beaucoup moins intense que celle vécue en *Amour-naissant*. Le paysage émotionnel de l'*Amitié-amoureuse* peut donc ressembler à celui de *l'Amour-naissant*, mais sans le désir intense de poursuivre un but commun à long terme, qui s'impose naturellement lorsque nous nous trouvons en *Amour-naissant*. Ainsi, bien qu'elle puisse débuter dans un lieu similaire, la différence essentielle entre une relation avec un amant, un ami ou un amoureux, c'est la destination souhaitée: est-ce le lit, le café du coin ou le bout du monde?

La fascination du départ

Un indice révélateur que nous sommes en *Amour-naissant* est la fascination qu'exerce sur nous notre partenaire. Nous projetons sur l'autre de nombreuses parties de nous-même à cette étape. Tout comme les premiers explorateurs et les autochtones se définissaient mutuellement par rapport à leurs cultures et croyances, les amoureux s'échangent d'intenses projections sur les rives de l'*Amour-naissant*.

Il n'y a pas de meilleur endroit que l'*Amour-naissant* pour mettre en scène le théâtre de l'inconscient, puisqu'il engendre une fascination intense pour l'autre et met à notre disposition une profusion de signes et de coïncidences, particulièrement au début de la relation[6]. Par contre, lorsque cet état se prolonge, nous risquons de quitter l'autre pour les mêmes raisons qui nous poussaient initialement à voyager avec lui. Autrement dit, *ce qui fascine au départ risque aussi de façonner le départ...*

Découvrons ici le parcours d'Ariane et Vincent, venus chercher de l'aide alors que leur couple agonisait, comme la plupart de ceux qui consultent, dans la *jungle des Jeux-de-pouvoir*. Un retour sur leur départ en *Amour-naissant* plusieurs années plus tôt leur a permis de cerner les comportements alimentant la guerre qu'ils se livraient.

Vincent, un informaticien de 34 ans de Québec, a rencontré Ariane, avocate de 35 ans qui habitait à l'époque en Gaspésie, lors d'une fête organisée par une amie commune de Québec qui célébrait sa renaissance après une longue maladie. Vincent n'avait pas envie d'aller à cette soirée, il était plutôt dépressif à cette époque, tout comme Ariane qui tentait de quitter la *presqu'île des Amitiés-amoureuses*, où elle se trouvait avec un ancien partenaire qui ne voulait pas faire le grand voyage avec elle.

---

6. Pour en savoir davantage sur ce sujet, voir mon livre *Les hasards nécessaires: la synchronicité dans les rencontres qui nous transforment.*

Le début de leur relation s'est déroulé dans une atmosphère ludique. Leur premier contact à cette soirée eut lieu dans le cadre d'une partie de Twister[7]. Vincent passait son temps à pousser Ariane hors des formes géométriques et trichait donc un peu. Celle-ci argumentait alors sur les règles et les limites de ce jeu tout en essayant elle aussi de faire tomber Vincent.

Ce jeu mettait en scène, inconsciemment, les valeurs de chacun. Ces mêmes valeurs qui se sont entrechoquées plus tard. Celles d'Ariane, dont «la règle avant le plaisir» se sont confrontées à celles de Vincent, pour qui «le plaisir avant tout», voir «le plaisir de contourner les règles» sont des valeurs essentielles. Cette différence s'est inscrite dès les premiers moments de leur arrivée en *Amour-naissant,* mais ils la percevaient alors comme de l'exotisme. Le jeu permettait aux valeurs opposées de se rencontrer sans détruire les personnes. Vincent manquait d'organisation et Ariane de folie, d'où la rencontre des opposés et la fascination mutuelle.

Dans la *jungle des Jeux-de-pouvoir* que nous explorerons en détail plus loin, ce sera tout le contraire. Vincent accusera Ariane d'être sa deuxième mère, de manquer de spontanéité, d'être trop à cheval sur les règlements et d'éteindre ainsi ses élans créateurs. Ariane l'accusera d'être son troisième enfant et de manquer de discipline. Elle tentera de le convertir et de lui faire comprendre qu'il a tort de faire passer le plaisir avant tout et d'être ainsi irresponsable. Un peu comme des colonisateurs voulant convertir les mœurs et coutumes d'un autre peuple après avoir été fascinés par son exotisme, ils voudront convertir l'autre à leurs valeurs une fois qu'ils auront quitté l'*Amour-naissant.*

Ils se battront pour les mêmes motifs inconscients qui les ont fait se rencontrer. En *Amour-naissant,* leur inconscient, fort sensible aux opposés, les a poussés l'un vers l'autre, mais

---

7. Jeu dans lequel les joueurs doivent garder le contact avec des formes géométriques sur un tapis. Le but du jeu est de toucher au plus grand nombre de formes géométriques avec toutes les parties du corps.

dans la *jungle des Jeux-de-pouvoir*, où nous les retrouverons plus tard, ils auront à faire le choix conscient d'être ensemble. C'est pourquoi un retour à l'*Amour- naissant* est essentiel pour mieux comprendre le sens d'une relation et de ses conflits. Nous nous faisons la guerre bien souvent pour les motifs qui ont contribué à notre attraction initiale…

Phare de la Synchronicité

Le phare de la Synchronicité

Vous l'avez peut-être déjà remarqué, au début du voyage amoureux, il y a souvent de nombreuses coïncidences qui nous guident l'un vers l'autre, tels des phares, par exemple : nous ne devions pas nous trouver à tel endroit, et pourtant un concours de circonstances nous a guidé et a permis la rencontre amoureuse qui a bouleversé à jamais la trajectoire de notre vie.

Avons-nous observé quelque chose de particulier dans les premiers moments d'une rencontre, dans les symboles ou les paysages initiaux de notre voyage en *Amour* ? Quels thèmes avons-nous abordés lorsque nous avons commencé à voyager ensemble ?

Avant d'aller à cette soirée, Vincent reçut un appel d'un ami qu'il n'avait pas vu depuis des années et qu'il voulait justement contacter pour récupérer un livre, *Le principe du geyser*, de l'auteur québécois Stéphane Bourguignon. Il se rendait à la fête organisée par une amie commune et pourrait donc y apporter ce livre. Ariane, quant à elle, habitait la Gaspésie mais était en vacances à Québec le soir de la fête. Elle reprit contact avec cette même amie qui, comme par hasard, avait elle aussi l'un de ses livres, *L'avaleur de sable* de Stéphane Bourguignon.

Ariane et Vincent ont découvert leur passion commune pour cet auteur lors de cette soirée. Par un de ces hasards nécessaires, ils avaient chacun « quelque chose qu'ils avaient oublié » et qu'ils devaient récupérer ce soir-là. Après la fête, Vincent proposa à Ariane d'échanger leurs livres à condition qu'elle revienne le voir à Québec bientôt pour qu'ils puissent se les rendre.

À cette époque, tous deux étaient profondément désillusionnés par leur quête de l'*Amour*, mais ils ont été fascinés l'un par l'autre, en plus d'être fortement interpellés par la coïncidence des livres. C'est grâce à leur intérêt commun pour cet auteur qu'une deuxième rencontre a été possible. C'est aussi sous le thème de la renaissance, parce qu'ils ont recommencé à croire à l'existence de l'*Amour*, en écho avec la renaissance physique de leur amie commune que leur relation s'est construite.

Peu après cette fête, Ariane a reçu une offre d'un cabinet d'avocats de Québec et a saisi l'occasion pour se rapprocher de Vincent. La relation s'est par la suite développée autour de la série télévisée *La Vie la vie,* écrite elle aussi par Stéphane Bourguignon, qui était le prétexte pour des soirées de rapprochement et symbolisait les valeurs que le couple nouvellement formé essayait tant bien que mal d'incarner. Ariane et Vincent s'identifiaient à un couple de cette série qui les inspirait.

Jouer après coup avec le sens des coïncidences et les symboles dans nos relations, sans en diminuer la poésie ou en faire une obsession peut être fort intéressant et éclairant. Dans cet exemple, l'œuvre de Bourguignon faisait office de symbole pour le couple. Les valeurs de l'émission, celles de la fraternité et de la famille, guidaient Ariane et Vincent vers une nouvelle culture de couple qu'ils cherchaient ensemble à réinventer.

Tout comme les Amérindiens se fiaient à leur environnement[8] et à leur intuition pour retrouver leur chemin, nous pouvons être attentif à l'inconscient qui déploie des symboles, notamment dans la culture, et guide nos pas dans le pays amoureux.

---

8. Les premiers explorateurs du Pacifique ont été impressionnés par les Polynésiens, qui arrivaient à orienter leurs pirogues sur l'océan en observant les modifications du courant à la surface de l'eau, et ce, sans boussole.

Certains de ces symboles initiaux condensent aussi les thèmes de nos conflits. En examinant attentivement les objets symboliques d'une relation, nous découvrons parfois des choses très intéressantes, un peu comme l'archéologue découvre des artefacts en fouillant attentivement un site archéologique, ou un enquêteur trouve des indices en revisitant la scène d'un crime.

Dans la voiture, au retour de la première soirée de fête où ils se sont rencontrés, se trouvait un objet qui allait symboliser la guerre qu'allaient se livrer Ariane et Vincent. Ariane reconduisait Vincent chez lui et il y avait dans sa voiture un sécateur qu'elle devait rendre à son père. Cet objet inhabituel encombrait presque totalement l'espace et s'interposait entre elle et Vincent. De fait, il allait symboliser les principaux reproches que se feront Ariane et Vincent lorsqu'ils se retrouveront dans la *jungle des Jeux-de-pouvoir*. Vincent se sentira brimé par la nature « castratrice » d'Ariane et celle-ci sera agacée par le manque d'organisation de Vincent, comme s'il n'avait pas coupé le cordon avec sa mère...

Les symboles et les hasards nécessaires initiaux indiquent qu'il se passe quelque chose d'important dans l'inconscient des personnes qui se trouvent en *Amour-naissant*. Ils indiquent qu'un rendez-vous, une rencontre se fait avec soi. « L'amour naît d'abord entre deux moitiés d'un individu divisé », écrivait Platon. Nous rencontrons quelque chose qui nous fascine, qui est généralement opposé à notre nature, que nous attribuons à l'autre ou à l'ambiance de la rencontre, qui est souvent fortement symbolique et synchronistique. Le défi de toute l'Aventure amoureuse sera de transformer ces rencontres en relations, de faire coïncider en nous-même ce que nous rencontrons à l'extérieur. Ainsi, entrer en relation, c'est d'une certaine façon continuer le mouvement de la synchronicité. *Mais alors que le hasard et la synchronicité créent des rencontres, ce sont la volonté et l'imagination qui créent ensuite des relations...*

La culture du « nous »

La rencontre en *Amour-naissant* est le point de départ d'une nouvelle culture. Il n'est donc pas étonnant d'ouvrir nos horizons musicaux, de découvrir de nouveaux auteurs, des films qui nous ouvriront d'autres possibilités, des mondes que nous croyons nécessaires à notre développement. Nous ressentons alors un fort sentiment de nécessité, comme si nous pressentions que l'autre avait été placé sur notre route pour nous faire découvrir ces nouveaux univers, ou qu'il partage mystérieusement avec nous une parenté d'auteurs et d'objets culturels que nous croyions être seul à connaître[9].

Les endroits, la gastronomie, les films, les livres et la musique agissent comme des repères et multiplient les occasions d'enrichir et parfois de confronter la culture des deux personnes. Le premier repas, à cet égard, est souvent fort révélateur des cultures de chacun, qui s'entrechoquent en *Amour-naissant*. Voyons à ce sujet le parcours de Rachel et Stéphane.

Rachel, une femme dans la quarantaine se souvient très clairement de son premier repas en *Amour-naissant*, quinze ans plus tôt. En tant que bonne vivante adorant les longs dîners où les discussions peuvent se prolonger toute la soirée, elle avait préparé pour Stéphane, à l'occasion de leur premier repas d'amoureux, une fondue bourguignonne. Stéphane, qui a reçu une éducation catholique très stricte d'une mère très sévère, a vécu cette rencontre comme un profond choc culturel. La notion de plaisir à table lui était étrangère. Il n'avait jamais goûté à ce plat et éprouvait de la crainte à l'idée de la nouveauté.

---

9. Voir à ce titre mon livre *Se réaliser dans un monde d'images,* pour en savoir plus sur les synchronicités culturelles, particulièrement au cinéma.

Il a goûté les patates jaunes que lui avait cuisinées Rachel, mais comme elles ne goûtaient pas tout à fait comme celles que lui préparait chaleureusement sa mère dans son enfance, il n'a presque rien avalé de son repas, au grand désarroi de Rachel, qui avait passé plusieurs jours à préparer cette soirée. Mais lors d'une deuxième tentative, Stéphane s'est laissé aller à goûter davantage cette nouvelle cuisine et la fondue est devenue le plat fétiche de ce couple.

La nouvelle culture du couple tente de se métisser à l'ancienne et de s'intégrer aux anciennes croyances des partenaires. Le « nous » du couple se crée de la mise en commun de deux histoires, de deux passés qui se rencontrent et cherchent à coexister, comme la mythologie grecque et romaine par exemple, en empruntant à la culture de l'autre et en conservant certains aspects de leur propre culture. L'*Amour-naissant* est ainsi un lieu privilégié pour recycler ou confronter les valeurs et les vieilles croyances.

J'ai remarqué que l'aspect exotique de l'autre est en général bien reçu en *Amour-naissant*, quoiqu'il éveille parfois certaines méfiances et certains jugements de valeur conduisant précocement à dénigrer les valeurs et la culture de l'autre. L'un des individus peut aussi sacrifier totalement sa culture pour adopter celle de l'autre, ce qui n'augure rien de bon pour le passage dans la *jungle des Jeux-de-pouvoir...*

Généralement, en *Amour-naissant*, le climat chaleureux propice aux rapprochements contribue à embellir les différences. Ce fut le cas, par exemple, pour les Européens, qui ont trouvé fort exotiques les plumes des autochtones à leur arrivée sur les rives du Nouveau Monde. En *Amour-naissant*, le couple ne forme pas encore une institution trop rigide et peut donc faire preuve d'une très grande souplesse et de créativité dans sa façon de négocier les conflits et d'aborder les différences.

Les rivières de Dopamine

Un autre élément qui caractérise le passage en *Amour-naissant* est la présence d'une énergie débordante. Tout nous paraît possible à cette étape. Que se passe-t-il dans le cerveau d'un voyageur qui se trouve en *Amour-naissant*? L'anthropologue Helen Fisher a découvert que les gens qui s'y trouvent semblent être sous l'effet de certaines drogues. De fait, une quantité plus importante de dopamine[10] est libérée dans le cerveau des nouveaux amoureux, et elle peut rester active jusqu'à deux, voire quatre ans. C'est ce qui explique que certaines personnes ne pourront supporter ce manque et tenteront de retomber en *Amour* aussitôt arrivées dans la *vallée du Quotidien*. En *Amour-naissant*, comme l'indique la carte, les *rivières de Dopamine* coulent à flot.

Les plages du Sexe et de la Créativité

La passion sexuelle est généralement en pleine vitalité au début du voyage sur les longues *plages du Sexe*. Bien que certains amours puissent naître dans la *baie de l'Amitié*, il est plus courant d'être déposé en *Amour-naissant* par les fortes vagues de la *baie de la Passion*, près du *cap du Coup-de-foudre* et de se trouver en présence d'une forte énergie créatrice et sexuelle. Ici, le couple découvre un lieu formidable : les *plages de la Créativité*, qui font partie des endroits les plus sublimes de l'*Amour*. Aucun lieu ne produit autant d'élans créateurs.

D'ailleurs, le parcours que vit un créateur avec sa création ressemble en tout point à une relation amoureuse qui débute. Il est d'abord fasciné par certaines idées et il a envie de réinventer

---

10. Substance associée au plaisir et à l'euphorie.

le monde. À mesure que sa création prendra forme, il confrontera ses idées à la réalité et perdra progressivement un peu de liberté en investissant une voie et en en délaissant d'autres. Il se battra ensuite avec ses idées, pour tenter de trouver le chemin qui le mènera à une création durable, qui s'incarnera ensuite dans la réalité ou prendra le chemin de la poubelle…

Une bonne partie des œuvres que nous admirons, des films que nous visionnons, de la musique que nous écoutons et des livres que nous lisons a été conçue en *Amour-naissant*. Il y a bien souvent une histoire d'amour vécue ou imaginée derrière bon nombre d'œuvres. Comme les plumes du paon qui changent de couleurs, le chant mélodieux du merle et les pas de danse de l'insecte qui veut attirer sa partenaire, nous avons aussi reproduit et réinventé des rituels pour attirer, créer et procréer: les écrivains écrivent des romans qui passionnent leurs lecteurs, les chanteurs populaires séduisent leurs fans, les danseurs émeuvent leur public et les musiciens créent de nouvelles mélodies pour courtiser leur auditoire. Amour et création sont donc intimement liés.

C'est aussi souvent sur les *plages de la Créativité*, en *Amour-naissant,* que les grands projets de couple sont imaginés, même s'ils ne pourront être réalisés que plus tard. C'est fréquemment à cette étape qu'est rêvé tout projet créatif permettant à un couple de se dépasser et de progresser vers le *mont des Buts-communs*, en *Amour-durable*.

Les promesses de l'Amour-naissant

Un autre des indices qui peut nous indiquer que nous sommes bel et bien en *Amour-naissant* est la découverte d'une mission à accomplir, d'un projet à réaliser avec notre partenaire; ceux-ci nous donnent l'impression d'être destiné à cette personne. Cet endroit devient alors le lieu de promesses inconscientes faites à soi et à l'autre. Ce n'est que bien plus tard que cette promesse se révélera au couple par la réalisation d'un but commun ou par la trahison, si elle n'est pas réalisée. Comme je l'ai mentionné précédemment, pour savoir si vous êtes dans l'*île des Plaisirs*, dans la *presqu'île des Amitiés-amoureuses* ou en *Amour-naissant*, demandez-vous quels projets vous aimeriez réaliser, tout au long de votre vie, avec cette personne, et quelle promesse vous vous faites à vous-même et à l'autre.

Parfois, cette promesse est de ne rien promettre. La liberté est probablement d'ailleurs la plus grande promesse cachée de toutes les rencontres. Nous promettons de nous laisser libres, mais comme n'importe quelle autre promesse inconsciente, celle-ci sera aussi mise à l'épreuve dans l'Aventure amoureuse.

L'émergence d'un but commun est comparable à l'appel du héros qui doit accomplir une mission qui le dépasse. Répondre à l'appel de l'Aventure amoureuse est un acte héroïque pour nous, un peu à l'image du manchot empereur, par exemple, qui affronte de terrifiants obstacles dans sa course amoureuse en Antarctique.

D'un point de vue biologique, cette mission peut être la perpétuation de la vie, mais elle peut aussi prendre d'autres formes comme la découverte de soi, de l'autre ou du monde. Jusqu'à un certain point, elle peut même mener à des révolutions[11].

La révolution en Amour-naissant

Le couple formé par l'ancien premier ministre du Québec, René Lévesque, et sa compagne, Corinne Côté, est selon moi un très bon exemple de la révolution qui se produit en *Amour-naissant*[12]. René Lévesque a rencontré Corinne Côté alors

---

11. Dans son livre remarquable, *Le choc amoureux*, Francesco Alberoni compare l'état naissant de l'amour à une révolution politique vécue à deux.
12. Un petit clin d'œil amusant. En écrivant ces lignes, alors que j'étais en pleine impasse d'écriture, j'ai appris du propriétaire du petit logis de l'île Verte qui m'hébergeait alors, que le sommier en bois du lit dans lequel je dormais aurait appartenu justement à M. Lévesque, alors qu'il vivait dans son appartement de la rue D'Auteuil à Québec.

qu'il venait de quitter un parti politique, et qu'il se retrouvait dans une période d'entre-deux, voire dans un état dépressif. Selon Alberoni, cet état de vide se retrouve souvent chez ceux qui se préparent à poser le pied en *Amour-naissant*. Lévesque vivait par ailleurs une relation qui battait de l'aile avec sa femme Louise et cherchait sa propre indépendance face à elle.

Lorsqu'il est tombé en *Amour* avec Corinne Côté à l'automne 1968[13], le Québec se trouvait dans une période de changement social. L'amour de René Lévesque pour Corinne Côté va résonner avec la création du Parti québécois, qui visait justement l'indépendance du Québec. Ce qui germait possiblement dans l'inconscient de René Lévesque, à la fois dans sa vie personnelle et politique, a trouvé une énergie nouvelle et un lieu pour se développer en *Amour*.

Nous voyons ici le mouvement de révolution et l'énergie liée à cet État particulier de *l'Amour*, à la fois sur le plan personnel et collectif. Nous pouvons supposer que ce passage a contribué à la mise au monde d'une idée qui germait au plus profond de lui-même et a rejoint alors ce qui germait aussi dans l'inconscient collectif des Québécois et des Québécoises : créer un nouveau parti politique visant l'indépendance (certes non réalisée), mais participant à la révolution d'une foule d'institutions au Québec.

Un élan similaire pour le voyage

Peu importent les différences initiales, l'*Amour-naissant* a la particularité de créer un élan similaire entre deux personnes. Malgré les divergences individuelles, un élan de révolution et d'exploration propulse le couple et lui permet momentanément de transcender les opposés afin d'amorcer son voyage.

---

13. Tiré du livre *René Lévesque, l'espoir et le chagrin* de Pierre Godin.

Une rencontre, selon *Le petit Robert,* est : « Un mélange entre un "coup de dés" et un "combat". Le couple devra donc user de beaucoup d'imagination pour se rencontrer sans se battre. Le combat est latent dans chacune des rencontres dont l'issue est une relation, la mise en commun d'un mouvement.

Au début, deux personnes se rencontrent, mais tout au long de l'aventure, les rencontres se multiplient avec des parties de soi et avec l'autre, et ces rencontres ont besoin de lieux pour s'incarner. Nous laissons alors des parties de nous-même dans les différentes régions du parcours amoureux, comme les premiers explorateurs laissaient des postes d'observation dans les territoires conquis. Quels lieux allons-nous privilégier ? Quelles ressources allons-nous utiliser ? Malheureusement, beaucoup de couples laissent toutes leurs forces en *Amour-naissant* et l'arrivée de l'hiver ou encore la poussée du *désert de l'Ennui,* aux abords de la *vallée du Quotidien,* risque alors de menacer sérieusement leur expédition...

La vallée du Quotidien

Montagnes de Stress

Montagnes de Défis

Lac D'Ocyocine

Sables mouvants

Champs de Compétences et d'Intérêts

Aptitudes

L'oasis de rêves

Désert de l'Ennui

Plaisirs-sur-le-champ

Sens de l'Amour

Sens de l'Humour

La vallée du Quotidien

*Le quotidien s'invente avec mille manières
de braconner.*

Michel de Certeau

*Seuls les charmes de l'inutile peuvent vous aider
à supporter les horreurs de l'indispensable quotidien.*

Jacques Sternberg

Cette étape de l'Aventure amoureuse m'a longtemps fait peur et, comme bien des gens aujourd'hui, j'ai souvent voulu l'éviter. Aussitôt que je ressentais une baisse d'intensité dans une relation, je quittais ma compagne et retournais prendre le large dans l'*océan de Rencontres*. Le nord de mes relations m'a ainsi fortement effrayé, sans me pousser à prendre le temps de bien connaître cette étape essentielle de l'Aventure amoureuse.

J'ai toujours eu une très grande crainte de voyager de trop près avec une personne au quotidien. À l'adolescence, j'avais le visage en bourgeons et ne voulais pas que ma petite amie de l'époque s'approche trop près de moi. J'ai donc vécu mon premier amour à distance. J'allais la voir, mais demeurais assis sur le trottoir, dans une relative sécurité, d'un côté de la rue alors qu'elle était de l'autre côté. Sans jamais effectuer la grande traversée, nous discutions et réinventions le monde, pour retourner ensuite chez nos parents sans que le moindre contact physique se soit produit. Je la trouvais très belle, avec son regard foncé et son allure mystique, mais j'avais peur de briser ce rêve en me montrant de trop près. Cette relation dura un été complet. Puis j'ai fini par m'éloigner, cédant à la peur et n'osant pas m'avancer et affronter la réalité en traversant vers elle. À cette époque une rue nous séparait, mais ensuite l'autoroute de l'information m'a bien servi pour garder mes distances dans mes relations et éviter la *vallée du Quotidien*...

C'était méconnaître les richesses de cette étape de la relation. J'ai pris le risque aujourd'hui de traverser cette vallée en apprenant à mieux me connaître et à affronter mes peurs. Le couple qui veut aller loin en *Amour* doit nécessairement s'aventurer dans cette vallée, qui est source de désillusions, mais aussi de riches découvertes et de défis.

Les voyageurs y sont confrontés à la réalité dans leurs premières grandes épreuves : combattre la routine, éviter de s'enliser dans des rôles rigides et de s'éloigner du jeu mais surtout d'assécher leurs *champs d'Aptitudes* et *d'Intérêts personnels* dans l'aride *désert de l'Ennui*.

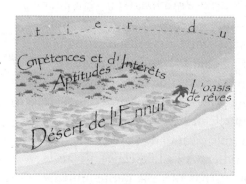

Le désert de l'Ennui

L'avancée du désert est un problème qui préoccupe nos sociétés. Il en va de même pour l'avancée du *désert de l'Ennui*, qui assèche bien souvent les *champs d'Intérêts* personnels des amoureux, après plusieurs années de relation. La peur de s'ennuyer ou d'être ennuyant compte probablement parmi les plus grandes craintes de ceux qui voyagent longtemps en *Amour* de nos jours.

Deux outils sont essentiels pour survivre dans cette vallée : la responsabilisation et l'imagination. D'abord, le mot responsable renvoie à la capacité de « répondre » à ses besoins. Lorsque nous sommes dans le *désert de l'Ennui,* nous pouvons prendre nos responsabilités et faire preuve d'imagination en nous orientant sur les *montagnes de Défis.* Nous sommes tous responsables de trouver et d'imaginer de nouveaux défis qui nous stimulent et nous poussent à nous dépasser.

Revenons à Vincent, qui s'est retrouvé dans le *désert de l'Ennui* durant sa quatrième année de voyage avec Ariane. Il se déresponsabilisait en accusant celle-ci de ne plus avoir assez d'ambition et de rêves et de ne plus relever assez de défis. Bref, il lui reprochait d'être une mauvaise G. O[14]. C'est dans ce désert qu'il fit la rencontre virtuelle de Léa, une artiste passionnée, qui lui fit redécouvrir un ancien intérêt pour la photographie.

Le *désert de l'Ennui* est un lieu propice pour céder à la tentation de retourner en *Amour-naissant* avec une autre personne. Or, une rencontre en ce lieu est souvent hautement synchronistique et a pour fonction de nous faire découvrir de nouveaux *champs d'Intérêts* sans que nous ayons obligatoirement à quitter la relation en cours. En fait, changer de partenaire n'est pas nécessairement la solution pour sortir de l'*Ennui* : certains voyages sont davantage des fuites que des explorations.

C'est dans le *désert de l'Ennui* que nous sommes davantage susceptibles d'apercevoir des mirages et que les tentations d'un nouvel ailleurs surviennent. Céder à ces illusions et abandonner un voyage en cours risque bien souvent de nous désorienter davantage. Vincent a décidé de poursuivre son voyage avec Ariane et de ne pas se laisser tromper par les mirages. Il a plutôt pris la responsabilité de s'occuper d'un de ses talents qu'il avait négligé en cours de route, et de développer son expression artistique par la photographie.

Il a décidé de cultiver ce talent à l'intérieur même de sa relation en proposant à Ariane d'être son modèle. Elle accepta avec

---

14. Gentil Organisateur dans les Clubs Med.

grand plaisir ce nouveau défi qui, par le fait même, pimenta leur vie sexuelle pendant quelque temps.

(Vincent, dans le *désert de l'Ennui,* après quatre ans de relation.)

Parfois, pour sortir de l'*Ennui,* nous devons changer de partenaire de voyage. C'est le cas notamment lorsque nous réalisons que nous avons choisi de bâtir une relation avec une personne qui nous offre l'occasion de nous valoriser par le sentiment de supériorité que nous éprouvons en sa présence.

Bien souvent, nous nous servons de l'autre comme d'un prétexte pour ne pas affronter nos peurs ou cultiver nos *champs d'Intérêts* personnels. Vincent craignait de s'exprimer artistiquement, en choisissant une partenaire qui n'encourageait pas spontanément sa nature artistique, il fuyait la responsabilité de cultiver son talent.

Il est facile d'accuser l'autre de nous faire vivre dans l'*Ennui,* comme il est facile d'aller chercher ailleurs que dans la relation l'intensité et les défis. C'est d'ailleurs ici qu'on assiste souvent aux premiers *lancers du blâme,* que nous étudierons dans la *jungle des Jeux-de-pouvoir,* parce que l'outil de la responsabilisation est mal utilisé.

Une personne qui doit constamment changer des choses à l'extérieur d'elle-même pour se sentir bien place son pouvoir de changement hors de sa portée, ce qui la handicape profondément en *Amour*.

Nos aptitudes, nos émotions et nos besoins sont trop importants pour en laisser la responsabilité à d'autres, même à son partenaire de voyage. Lorsque nous nous trouvons dans le *désert de l'Ennui*, comme Vincent, nous sommes responsable de retrouver, d'imaginer ou de créer nos propres défis et de les harmoniser avec ceux du voyage à deux.

Les montagnes de Stress et de Défis

De l'autre côté de la *vallée du Quotidien*, nous faisons face aux *montagnes de Stress* lorsque nous nous éloignons de nos *champs d'Aptitudes*, que les défis à relever sont trop grands, ou que nous avons choisi de voyager avec un partenaire exigeant, par exemple. Certes, au début, nous avons probablement fait ce choix de partenaire parce qu'il offrait des défis stimulants (*montagnes de Défis* et *montagnes de Stress* sont à proximité l'une de l'autre sur la carte de l'*Amour*). Mais nous éloigner de nos *champs d'Aptitudes* en ne poursuivant que les défis de l'autre peut nous faire perdre contact avec nous-même.

C'est ce qui arriva au couple de Rachel et Stéphane, que nous avons décrit précédemment lors de l'exemple du repas à la fondue. Rachel a choisi Stéphane, un partenaire de voyage amoureux sportif et fort compétitif. Les nombreuses exigences de Stéphane la séduisaient et lui rappelaient son enfance et la sévérité de son père. Pour être à la hauteur et relever le défi de se faire aimer par Stéphane, elle a quitté progressivement ses propres *champs de Compétences* et *d'Intérêts*, a cessé d'émettre ses opinions et a délaissé les sports qu'elle pratiquait pour ceux de son partenaire, dont l'escalade extrême, activité fort stressante pour elle. Elle a développé ses aptitudes physiques pour suivre son partenaire dans la pratique de ces sports parce qu'elle ressentait une profonde crainte d'être ennuyante ou d'être une mauvaise compagne si elle refusait d'y participer.

C'est en prenant un risque et en proposant à Stéphane de pratiquer un nouveau sport, le tir à l'arc, qu'ils ont pu se rejoindre. Ils se trouvaient alors sur un terrain neutre, car aucun d'eux n'avait pratiqué ce sport auparavant. Ils ont ainsi retrouvé un espace de jeu sécurisant et stimulant. C'est aussi en cultivant ses *champs d'Aptitudes* et *d'Intérêts* que Rachel a pu redescendre des *montagnes de Stress.* De plus, en confrontant sa peur d'être ennuyante et en apprenant à affirmer davantage ses goûts, Rachel a développé des aptitudes essentielles à la bonne marche de la relation. Elle et son conjoint sont revenus dans le *sentier du Jeu,* la voie royale vers l'*Amour-durable.*

(Rachel, égarée dans les *montagnes de Stress* en voulant rejoindre Stéphane qui est, lui, dans les *montagnes de Défis.*)

Le sentier du Jeu

Le *sentier du Jeu* m'apparaît comme étant le chemin le plus sûr pour aller loin avec son partenaire et traverser la *vallée du Quotidien.* Donner du jeu à quelque chose, c'est lui donner du lest, comme pour une corde trop serrée. Emprunter le *sentier du Jeu* en *Amour,* c'est libérer un espace de création. Le jeu c'est l'espace et les règles que se donnent deux êtres pour être bien en *Amour*. Il varie selon les couples, mais dans tous les cas, lorsqu'on triche, on s'expose à des conséquences...

Durant la relation, cet espace permet de créer le lien au lieu de subir, de prendre une distance par rapport à son rôle et d'apprendre à rire de soi. C'est aussi en parcourant le *sentier du Jeu* que se crée l'esprit d'équipe, le couple peut alors devenir solide et uni, affronter les multiples défis de la vie et participer à son évolution, au lieu d'en être victime. C'est dans le *sentier du Jeu* que le couple peut transformer le chaos de l'*Amour* et faire preuve de résilience.

Dans le *sentier du Jeu*, nous transcendons l'individu pour rechercher ensemble à nous dépasser et à cheminer vers le *mont des Buts-communs*. Lorsque nous poursuivons un objectif commun plutôt que celui de diminuer l'autre, nous pouvons aller très loin en *Amour*.

C'est aussi dans le *sentier du Jeu* que nos différences peuvent trouver une voie créative pour s'exprimer et permettre aux tensions quotidiennes de se dissiper. Lorsque nous délaissons le *sentier du Jeu*, c'est dans le *sentier entre T'as-tort et J'ai-raison*, qui conduit directement à la *jungle des Jeux-de-pouvoir*, que nous risquons de nous perdre.

Jouer à la guerre est bien différent de faire la guerre. Nous pouvons « jouer » à nous faire de petites guerres et rire de nos petits travers, et ainsi permettre aux conflits de se vivre ailleurs que dans la *jungle des Jeux-de-pouvoir*.

Ariane et Vincent ont par exemple inventé le jeu de se donner des petits coups à l'épaule lorsqu'ils aperçoivent une New Beetle. Ce jeu, en apparence anodin, permet de libérer de petites tensions dans une saine compétition. Et bien sûr, lorsqu'ils en aperçoivent une jaune, ils se donnent un baiser langoureux...

« Qui aime bien agace bien », mentionne le sociologue Jean-Claude Kaufman. Pour nous rendre en *Amour*, nous pouvons suivre les indications pour l'*Humour*, puisque ces deux endroits sont très près l'un de l'autre. Ne dit-on pas d'ailleurs que l'on taquine ceux que l'on aime ?

La boussole de l'intelligence émotionnelle

Une autre façon de retrouver le sens d'une relation et de rejoindre le *sentier du Jeu* est d'avoir recours à notre propre *boussole d'intelligence émotionnelle*. Une émotion est essentiellement un signal de l'état de satisfaction de nos besoins. La peur, par exemple, pointe directement vers un besoin de sécurité qu'il nous revient de satisfaire. Utiliser cette boussole, c'est se responsabiliser, apprendre à décoder nos émotions et à les relier à des besoins spécifiques. Les émotions agréables indiquent donc la satisfaction des besoins alors que les émotions désagréables indiquent des insatisfactions.

Peu importe ce qui arrive en *Amour*, nos émotions et nos besoins sont sous notre responsabilité et nous devons nous orienter dans notre paysage émotionnel. Un fort signal d'ennui dans une relation indique que nous sommes loin du *sentier du Jeu* et nous incitera à satisfaire des besoins de stimulation dans les *montagnes de Défis*. Un fort signal de stress, en revanche, nous incitera à veiller sur nos besoins de sécurité et nos capacités réelles, que nous retrouvons dans les *champs d'Aptitudes* et *d'Intérêts* qui nous sont propres.

Il y a des émotions qui sont difficiles à relier à des besoins, comme la célèbre peur de l'abandon. John, un jeune homosexuel irlandais de 23 ans, ressentait constamment la peur d'être abandonné lorsqu'il tombait amoureux. Il a fait preuve d'intelligence émotionnelle en reliant cette émotion à un besoin précis de sécurité, qu'il a pu combler par une meilleure communication avec les autres et avec lui-même. Il n'a pas été facile de le faire et il dut amorcer une thérapie pour être plus conscient de son aptitude à communiquer et relever le défi de se faire comprendre.

Au-delà de sa difficulté à s'exprimer en français, il a compris qu'il rejetait chacune de ses pensées et de ses émotions avant de les exprimer. Une bonne partie de son insécurité provenait de son jugement sévère sur lui-même et de sa négligence de ses aptitudes réelles. Son défi quotidien était d'abord de se comprendre et de se reconnaître avant de demander à l'autre de le comprendre, donc d'être responsable de son besoin de sécurité.

En revanche, Paule, qui éprouvait la même insécurité, n'arrivait pas à s'orienter et à relier cette émotion à un besoin. Elle réagissait par la colère et voulait toujours plus de contrôle sur son entourage. Cette stratégie a eu pour effet d'exacerber son insécurité au lieu de combler son besoin de sécurité. Plus elle criait et cherchait à contrôler son partenaire, moins celui-ci était enclin à la communication. Elle s'est retrouvée seule, loin du *sentier du Jeu* et perdue dans d'immenses *montagnes de Stress*.

Le contrôle extérieur engendre la déresponsabilisation des besoins, dérègle la boussole de l'intelligence émotionnelle et empêche la réelle maîtrise de soi. Tenter de contrôler les autres est une stratégie courante. C'est un « contre » rôle, soit un rôle « contre » soi que l'on s'impose, et qui va bien souvent à l'encontre de la satisfaction de nos besoins. Être à « contre-rôle » de soi, c'est cesser de jouer, se perdre de vue et assurément perdre de vue notre complice de voyage, ce qui arrive malheureusement souvent dans la *vallée du Quotidien* et particulièrement lorsque l'un des partenaires s'enfonce dans les *sables mouvants des Rôles* près du *lac d'Ocytocine*.

Le lac d'Ocytocine et les sables mouvants des Rôles

(Ariane dans les *sables mouvants* de son rôle de mère alors que Vincent lorgne vers *Plaisirs-sur-le-champ,* la capitale de l'*île de la Dépendance.*)

« Lorsque je me retrouve seule, je joue avec les enfants, mais aussitôt que Vincent rentre de son travail, j'arrête de jouer et j'adopte une attitude sévère et rigide », me disait Ariane en entrevue. Elle perdait son sens du jeu lorsqu'elle entrait dans son rôle de mère et s'y enfonçait comme dans des sables mouvants, alors que Vincent s'enfuyait et lorgnait vers Léa en délaissant ses responsabilités familiales et en cherchant à jouer ailleurs que dans sa relation.

Qu'est-ce qui peut nous faire perdre notre créativité et notre capacité à jouer dans cette étape de la relation ? Dans la *vallée du Quotidien,* soit après plusieurs années de relation, les *rivières de Dopamine* s'assèchent. Après la souplesse et la créativité de l'*Amour-naissant,* les partenaires risquent de s'enfoncer dans les *sables mouvants des Rôles* autour du *lac d'Ocytocine*[15]. C'est

---

15. L'ocytocine est une hormone associée au sentiment d'attachement. Elle est davantage présente chez la femme, mais notamment présente après l'orgasme chez l'homme.

ainsi que les partenaires s'enlisent davantage dans leur rôle de parent que dans leur rôle d'amant, par exemple, ce qui est parfaitement adapté à la venue des enfants. Toutefois, même les couples qui n'ont pas d'enfants vont s'enfoncer dans ce rôle rigide de parent, sous l'effet de l'ocytocine, ce qui aura parfois des effets désastreux sur la créativité et le désir sexuel

Il est par ailleurs fréquent d'observer que l'homme retombe en enfance lorsque la femme devient mère. La *vallée du Quotidien* est alors le lieu où les pôles responsabilité/plaisir se polarisent. La machine à fabriquer des contraires s'active. Lorsqu'un partenaire s'installe dans un rôle de parent, l'autre joue habituellement le rôle inverse et se déresponsabilise.

C'est alors bien souvent le lieu des premières tentations pour les aventures extraconjugales ou pour retourner naviguer dans l'*océan de Rencontres*. J'observe souvent, par exemple, des personnes déçues par l'attitude enfantine de leur partenaire ou étouffés par des rôles trop rigides, qui vont aller chercher un autre partenaire pour s'aventurer dans l'*abysse des Amours-impossibles,* que nous verrons plus loin.

Les rôles rigides que nous jouons dans une relation se cristallisent dans la *vallée du Quotidien,* mais en retraçant notre parcours, nous pouvons les déceler très tôt dans le choix du guide de voyage amoureux. Une femme me disait un jour qu'au début de sa relation, elle avait été fascinée par le bon jugement de son mari. Lorsqu'elle est venue me consulter, elle souffrait d'un très grand manque de confiance en elle, donc d'une incapacité à faire confiance à son jugement et à ses émotions. Elle avait délégué cette responsabilité à son conjoint. Et de fait, elle le blâmait constamment de ne jamais la comprendre, car il jugeait sévèrement chacune de ses émotions, chacun de ses besoins et de ses désirs...

Au lieu d'adopter des rôles rigides, les partenaires peuvent apprendre à jouer avec leurs rôles et à changer quelque chose dans leurs interactions avec autrui. Parfois, une simple petite variation dans leur façon de jouer leur rôle peut conduire à de grands changements. L'imagination peut leur permettre de se voir et de voir l'autre différemment. Sans elle, le clivage se cristallise et le désir pour le partenaire risque de s'atténuer, voire même de disparaître totalement...

Le ciel des Désirs

Entretenir la flamme du désir durant le passage dans la *vallée du Quotidien* est un défi de taille. Qu'est-ce que le désir ? Le mot « désir » vient du latin *desiderare,* qui renvoie à l'idée de privation, grâce au préfixe *de* et au mot *siderera,* qui signifie « astre ». D'ailleurs, l'habitude de formuler un désir en apercevant une étoile filante traduit bien cette idée. Être en état de désir, c'est être privé de quelque chose, comme par exemple de la vue des étoiles. La capacité d'un couple à préserver une forme de manque est donc une façon de prendre soin du désir.

Le *ciel des Désirs* est infini. Son immensité nous rappelle que nous allons toujours être privé de quelque chose. De nos jours, peut-être en fait depuis que nous avons la technologie qui nous permet de nous approcher des étoiles, nous entretenons l'illusion de pouvoir satisfaire tous nos désirs. Cela se répercute évidemment dans nos voyages amoureux, où nous tolérons mal le vide et l'espace entre nos désirs et leur satisfaction et espérons les combler rapidement. Le sentiment de manque associé au désir est alors profondément affecté par de telles illusions. Aussitôt que l'absence de désir se fait sentir, et cela arrive régulièrement dans le *désert de l'Ennui*, surtout après plusieurs années de voyage avec le même partenaire, un sentiment de panique et d'urgence s'installe. Le partenaire remet alors plus facilement son voyage en cause et il est tenté de suivre compulsivement d'autres étoiles, qu'il n'arrive évidemment jamais à posséder.

Comme la pollution lumineuse affecte les grandes villes et empêche leurs habitants de voir les étoiles, peut-être qu'à force de consommer des rencontres à outrance, nous engendrons une luminosité artificielle qui voile notre horizon amoureux et perdons facilement de vue les étoiles qui nous guident comme les désirs essentiels qui nous orientent... ce qui contribue peut-être à la perte de sens en *Amour...*

Les désirs, comme les étoiles qu'on ne peut saisir, peuvent toutefois nous guider dans notre parcours amoureux. Autrefois, les navigateurs s'orientaient patiemment sur les étoiles au moyen du sextant, instrument formidable dont l'utilisation demande une très grande adresse et une connaissance approfondie du ciel. Le navigateur appréciait alors d'autant plus les étoiles, qu'il devait travailler pour les apercevoir. Aujourd'hui, les GPS font tout le travail. Cette technologie nous permet de nous orienter mais nous prive peut-être du contact intime avec les étoiles et, par le fait même, de notre univers intérieur...

L'espace des Fantasmes

Au centre du *ciel des Désirs* se trouve *l'espace des Fantasmes*. Un fantasme permet essentiellement de jouer avec les désirs. Au cours de leur passage dans la *vallée du Quotidien*, Ariane et Vincent ont perdu progressivement le contact avec certains fantasmes sexuels dont ils avaient honte et qui étaient devenus incompatibles avec les rôles rigides qu'ils adoptaient lorsqu'ils étaient en présence l'un de l'autre. Certaines parties de leur *ciel des Désirs* étaient claires et lumineuses, celle où se trouvait le désir d'élever une famille, par exemple, alors que d'autres désirs, principalement sexuels, avaient perdu de l'intensité.

En plein centre de leur *ciel des Désirs* se trouvaient des fantasmes cachés et non avoués, comme le fantasme de soumission d'Ariane, qui lui a fait découvrir son besoin de contrôler l'autre, mais aussi son besoin de trouver un espace où elle n'a pas à tout gérer.

Loin d'être honteux, le fantasme est très utile et permet d'identifier ce qui bloque le couple. Lorsqu'il est identifié et nommé sans jugement, il permet bien souvent au couple de se remettre en mouvement. Dans l'*espace des Fantasmes*, être « contrôlé », par exemple, permet paradoxalement de se « libérer », le temps d'un jeu. Ariane, qui a si peur de perdre le contrôle dans la vie réelle, peut vivre cette situation dans l'*espace des Fantasmes*, et raviver son désir sexuel.

Certes, elle a peur de cette dimension et n'aime pas se voir comme un « objet sexuel », cela fait davantage partie des fantasmes de Vincent. Pourtant, elle se surprend à s'imaginer dans ce rôle en compagnie d'autres amants. Le jeu avec les fantasmes est important parce qu'il permet non pas d'être, mais de faire « comme si ».

Des fantasmes d'agression existent aussi en *Amour*, et ce, même si nous préférons ne pas les mêler au voyage. La séparation entre l'amour et le sexe est d'ailleurs bien souvent causée par une coupure entre la colère et le désir sexuel. J'observe de nombreux couples qui ne se disputent plus, qui communiquent parfaitement, qui sont toujours collés l'un contre l'autre, mais dont le *ciel de Désirs* et les fantasmes sont complètement éteints.

La perte des fantasmes et du désir sexuel pour le partenaire de voyage ne signifie pas nécessairement que l'Aventure amoureuse est terminée, mais plutôt qu'il est nécessaire d'aligner à nouveau les étoiles, de prendre conscience des désirs cachés de chacun, et de recommencer à jouer dans *l'espace des Fantasmes*.

Pour traverser la *vallée du Quotidien*, il faut donc apprendre à intégrer le facteur de risque dans notre « sécurité » et prendre pour modèles les navigateurs intrépides ou les Bédouins du désert, qui osaient s'aventurer dans des espaces nouveaux guidés uniquement par le scintillement des étoiles...

Le mal du pays en Amour

Une autre réalité se présente lorsqu'on voyage depuis longtemps avec une personne dans la *vallée du Quotidien* : le mal du pays. Celui-ci est considéré avant tout comme une difficulté d'adaptation à une nouvelle culture et à un nouveau pays. En *Amour*, il pourrait se traduire par la nostalgie de la *terre du Célibat*.

Une fois l'excitation causée par la découverte d'un nouveau pays passée, la routine s'installe et la nostalgie du pays d'origine commence à se faire sentir. Selon les individus, cette période de *blues* peut être plus ou moins longue à se dissiper, à condition de réagir.

Pourquoi certaines personnes en souffrent-elles plus que d'autres lorsqu'elles sont en *Amour* ? Plusieurs facteurs entrent en jeu. D'abord, les personnes qui sont vraiment désireuses de voyager ont plus de chances de s'adapter à un univers différent du leur. Plusieurs personnes qui se retrouvent en *Amour* n'ont pas fait le choix de partir sincèrement à la découverte de l'autre et ne l'ont pas suffisamment désiré. Ensuite, la personnalité y est pour beaucoup : si vous êtes d'un naturel curieux, ouvert, vous partez bien sûr avec un avantage certain sur ceux qui sont obtus et fermés. Et finalement, plus votre culture d'origine sera éloignée de celle de votre pays d'accueil, plus le choc culturel sera fort et l'intégration difficile.

Pour contrer les effets du mal du pays, il est essentiel de bien se renseigner sur son partenaire de voyage et son pays d'accueil avant de partir. Il est aussi de mise de garder le contact avec sa famille et ses amis et surtout de cultiver ses *champs d'Intérêts* tout au long de la relation.

Refuser d'apprendre la langue de notre pays d'accueil et de notre partenaire de voyage et passer ses journées à critiquer sa culture sont à proscrire pour retrouver le goût de voyager et traverser cette étape essentielle qu'est la *vallée du Quotidien*.

Au-delà de la vallée...

La *vallée du Quotidien* est un passage nécessaire qui nous permet de nous responsabiliser et de nous familiariser avec la culture de l'autre. Il permet aussi de révéler la compatibilité de nos étoiles, soit de nos réels désirs. Sommes-nous dans la même constellation de désirs que notre partenaire ? Comment allons-nous relier nos étoiles et nous guider l'un sur l'autre ?

Un carrefour se présente alors pour les amoureux qui doivent consciemment faire le choix de poursuivre ou non le voyage :

- Continuer dans le *sentier du Jeu* vers les *terres de Reconnaissance* et l'*aire de Respect*, la voie qui conduit à l'*Amour-durable*.
- Se diriger vers la *jungle des Jeux-de-pouvoir* par le *sentier entre T'as-tort et J'ai-raison*.
- Se séparer et retourner naviguer dans l'*océan de Rencontres*.
- Fuir sur l'*île de la Dépendance* et s'enfermer dans l'esclavage amoureux.

Un passage réussi dans cette vallée conduira les voyageurs dans les *terres de Reconnaissance,* celle de leurs désirs et de ceux de leur partenaire, de même que des différences de celui-ci. Malheureusement, cela ne se produit pas toujours de cette façon. Lorsque les voyageurs n'arrivent pas à vivre leurs désirs ensemble, qu'ils n'arrivent plus à jouer ensemble, ils sont davantage tentés par la guerre ou par les compensations hors de la relation. Ces tentations sont très nombreuses sur l'*île de la Dépendance* et sa capitale *Plaisirs-sur-le-champ,* tout près du *désert de l'Ennui.* La recherche d'intensité pousse parfois les partenaires à aller chercher ailleurs que dans la relation le plaisir disparu. Cela n'est pas nécessairement problématique pour un moment, mais l'*île de la Dépendance* est le paradis par excellence du trafic artificiel de dopamine et elle risque de détourner dangereusement les voyageurs l'un de l'autre...

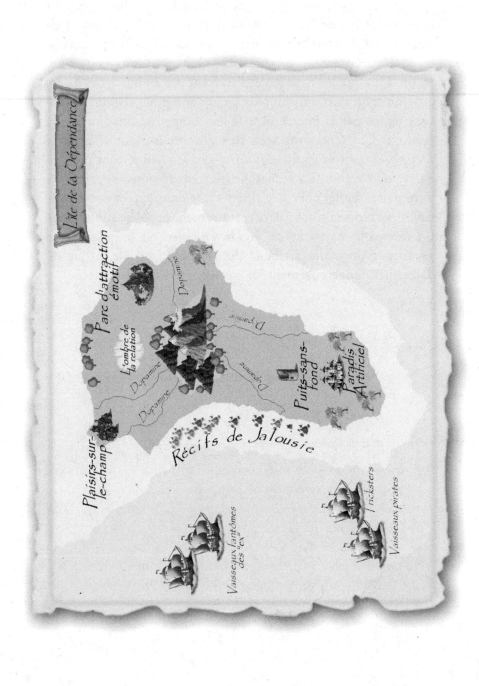

Lîle de la Dépendance

Parc d'attraction
émotif

Dopamine

L'ombre de
la relation

Dopamine

Dopamine

Dopamine

Dopamine

Dopamine

Puits-sans-
fond

Paradis
Artificiel

Plaisirs-sur-
le-champ

Récifs de Jalousie

Tricksters

Vaisseaux pirates

Vaisseaux fantômes
des "ex"

L'île de la Dépendance

L'homme exploite l'homme
Et parfois c'est le contraire...

WOODY ALLEN

Lorsque nous réalisons que notre cheval est mort
Il faut envisager de quitter sa monture.

DICTON D'UNE TRIBU
ABORIGÈNE DU DAKOTA

Quand j'ai voulu mourir parce qu'une ancienne compagne avait déserté notre relation pour continuer sa route sur un *vaisseau fantôme des « ex »*, j'ai su que j'avais dérivé vers l'*île de la Dépendance*.

J'ai dérivé vers la *Dépendance* parce que j'étais attiré inconsciemment par le sentiment d'abandon, qui m'était familier, et que je fuyais l'ennui. La dérive en *Dépendance* est double : fuir certaines émotions et s'accrocher à d'autres. Cette partenaire à l'époque me procurait ma dose d'émotions fortes et d'intrigues (va-t-elle me laisser ? va-t-elle me tromper ?). L'itinéraire de notre voyage était déjà tracé d'avance vers cette île qui égare de nombreux couples chaque année...

L'île de la Dépendance est un endroit qui peut confondre les Christophe Colomb de l'*Amour* que nous sommes. Les gens y échouent lorsqu'ils se laissent désorienter par leur recherche de l'intensité émotionnelle et de ses « épices ». Autrement dit, ils sont plus intéressés à ressentir des émotions fortes qu'à être en relation.

En *Dépendance,* nous sommes attiré par toutes sortes d'émotions, pour compenser le vide et l'ennui. Nous recherchons toute émotion qui peut nous procurer l'impression d'exister et nous définir. De l'extérieur une personne en *Dépendance* semble dépendre d'une substance, d'un jeu ou de quelqu'un d'autre. En réalité, elle vit essentiellement une dépendance à ses propres émotions.

Lorsque nous nous retrouvons sur cette île, nous sommes sous l'emprise de sa capitale, *Plaisirs-sur-le-champ,* qui pollue aussi énormément notre *ciel des Désirs* et nous empêche de distinguer ceux qui sont réels. Cette recherche d'intensité procure une impression illusoire d'exister, mais cache bien souvent un besoin de transcendance, comme nous le verrons plus loin. En fuyant la satisfaction réelle de ses besoins, la personne dépendante dérègle sa *boussole de l'intelligence émotionnelle* et se détourne de sa relation.

Alors que la personne qui utilise la *boussole de l'intelligence émotionnelle* arrive à décoder le sens de ses émotions et à s'orienter efficacement pour répondre à ses besoins, la personne qui est en *Dépendance* est incapable de faire le lien entre ses émotions et ses besoins. Elle cherche à ressentir des émotions, au détriment de ses besoins, qu'elle néglige parce qu'elle ne sait pas les satisfaire de façon saine. Les émotions deviennent alors le but ultime de son voyage, ce qui menace sa vie et sa relation amoureuse.

C'est ce qui arriva au célèbre personnage de Golum dans le film *Le seigneur des anneaux.* Il a cessé de s'occuper de ses besoins pour se concentrer sur le sentiment de pouvoir que lui procurait l'anneau. C'est aussi ce qui est arrivé à Vincent, qui délaissait continuellement sa relation avec Ariane au profit de son ordinateur, mais c'est aussi, d'une façon plus subtile, ce qui est arrivé à Ariane, qui oubliait Vincent pour se concentrer sur le sentiment de perfection que lui procurait une maison bien rangée...

Les parcs d'attraction émotifs

Pour éprouver des émotions fortes, les personnes en *Dépendance* vont créer des environnements affectifs compensatoires qui les alimentent, que ce soit par la drogue, le jeu pathologique, Internet, la nourriture, le sexe ou en vivant des situations amoureuses rocambolesques...

Un *parc d'attraction émotif* est un environnement que l'on crée afin de revivre certaines émotions de notre enfance et surtout, pour fuir l'ennui. Ce parc pourra prendre des allures diverses : des montagnes russes à la maison des horreurs, jusqu'aux stations de sports extrêmes. J'ai régulièrement des témoignages de gens qui vivent des relations à haut risque où l'intensité domine entièrement, même au point de mettre les partenaires en danger.

L'Aventure amoureuse de Nicole et Mike nous donne un bon exemple de la dérive en *Dépendance* et d'un dangereux *parc d'attraction émotif*. Nicole, une infirmière de 34 ans, cultivait préalablement un sentiment d'abandon en voyageant depuis son adolescence avec des partenaires qui lui procuraient sa dose quotidienne de violence. Cette dernière caractérisait d'ailleurs toutes ses relations amoureuses. En choisissant Mike, elle pouvait revivre et apprêter ces sentiments familiers de l'enfance à toutes les sauces, car Mike était un travailleur compulsif qui n'était jamais à la maison et un séducteur infatigable qui la dénigrait, comme son père l'avait fait avant. Il lui faisait subir des attaques verbales terribles et en était arrivé aux coups physiques récemment. Comme elle tenait inconsciemment davantage à la sécurité que lui procurait ce sentiment familier de rejet qu'à être véritablement en relation, elle faisait comme nombre d'habitants de l'*île de la Dépendance* : elle s'accrochait à cet environnement affectif, ce « parc jurassique » en quelque sorte, allant jusqu'à sacrifier sa sécurité. C'est en confrontant sa dépendance à ces sentiments et faisant preuve d'un courage héroïque (il n'était pas simple pour elle de quitter cette relation puisqu'elle avait trois enfants), qu'elle fit face à un profond sevrage de sentiments et qu'elle put quitter l'île. Elle a ensuite exploré d'autres lieux de l'*Amour* avec un partenaire différent, qui lui offrait un environnement propice à la culture de nouveaux sentiments.

Les personnes en *Dépendance* cherchent bien souvent un sens aux sensations extrêmes, comme si elles voulaient vivre quelque chose de sacré dans l'intensité, se purifier ou être initiées à quelque chose. J'ai observé que ce n'est pas par hasard si certaines personnes choisissent de se maintenir dans un environnement affectif, même s'il est parfois dangereux. Repasser par certains endroits connus peut leur permettre de se libérer et de transcender ces émotions. La question importante demeure toujours : sommes-nous plus attiré par l'intensité de certaines émotions ou par la durée d'une relation ?

Voyager librement sur l'île de la Dépendance

Une caractéristique importante des gens qui vivent en *Dépendance* est leur grande déresponsabilisation face à leurs besoins et à leurs émotions. On pourrait croire qu'il règne une très grande liberté sur cette île aux multiples plaisirs, mais c'est au contraire un régime de la tyrannie de *Plaisirs-sur-le-champ*, la capitale de l'*île de la Dépendance*. Moins nous avons d'autorité sur nos émotions et nos besoins, plus nous voulons contrôler l'extérieur (notre partenaire) et le parasiter pour avoir notre dose d'émotions fortes et nous enfoncer plus profondément dans la *Dépendance*.

La *Dépendance* n'est en soi ni bonne ni mauvaise. Elle est une banlieue de l'*Amour*. Elle devient un lieu tyrannique lorsqu'elle conduit au sabotage ou à la destruction du lien et que nous décidons d'y passer notre vie. Ainsi, paradoxalement, la *Dépendance* crée de la distance. Elle nous éloigne de nos vrais besoins et de nos désirs réels et mène à la coupure de la relation avec l'autre. Lorsque nous voulons être amoureux uniquement pour ressentir des émotions fortes, nous aboutissons généralement sur cette île et nous finissons par y vivre seul...

Nous ne pourrons jamais nous défaire totalement de notre attirance pour l'*île de la Dépendance*. Des visites y sont à prévoir tout au long de notre vie amoureuse. Il est toutefois important qu'elle soit une région pour passer des vacances et non une destination finale. Il est approprié de développer cette liberté de mouvement d'autant plus qu'aux abords de cette île se trouve l'une des menaces les plus importantes pour les couples de notre époque: les *vaisseaux fantômes des « ex »*.

Les vaisseaux fantômes des « ex »

Vaisseaux fantômes des "ex"

Il fut un temps où le trafic n'était pas très important en *Amour*. Autrefois, les possibilités de rencontrer étaient beaucoup moins fréquentes. De nos jours, de nouvelles réalités sont présentes dans nos voyages amoureux et la circulation y est plus dense. La complexité des passés amoureux, la présence d'anciens compagnons de voyage et les nouveaux arrivants sur les rives de l'*Amour* créent un défi supplémentaire. Nous devons interagir avec d'autres voyageurs. Les amoureux ne sont pas toujours seuls au monde...

Les *vaisseaux fantômes des « ex »* de nos partenaires génèrent des émotions particulières que nous devrons transformer: un mélange d'insécurité, de jalousie, mais aussi, assez curieusement, d'envie. Grâce à la *boussole de l'intelligence émotionnelle*, nous pouvons décoder le sens de l'émotion que nous éprouvons face à l'« ex » et la relier à des besoins précis.

Les *vaisseaux fantômes des « ex »* véhiculent bien souvent une partie de notre ombre, soit l'ensemble de nos désirs et besoins cachés. Ainsi, que peut-on apprendre des besoins de Stéphane qui se sent diminué lorsque Rachel parle d'Alex, avec qui elle a vécu pendant plus de dix ans ? Stéphane peut découvrir qu'Alex incarne une partie de son ombre, c'est-à-dire son envie refoulée de voyager, alors qu'il a choisi une vie plutôt rangée.

D'un autre côté, que peut-on apprendre de l'« ex » de Stéphane, qui s'impose dans leur couple en téléphonant plusieurs fois par mois ? Cette situation exaspère au plus haut point Rachel, même si elle ne le dit pas ouvertement à Stéphane. Elle préfère réagir et provoquer Stéphane en parlant de son « ex » à elle, plutôt que de lui expliquer l'insécurité que lui fait vivre un tel envahissement et de lui faire part de ce qui pourrait la sécuriser.

Cette situation peut représenter pour Rachel une bonne occasion de s'affirmer et d'exprimer un besoin d'intimité. Mais Rachel, qui a choisi un partenaire comme Stéphane ayant de la difficulté à rompre avec ses anciennes compagnes, a peut-être aussi une réflexion essentielle à faire sur le climat dominant de la relation, qui est plutôt l'insécurité que l'intimité.

Lorsque cette insécurité perdure malgré de nombreuses tentatives d'améliorer la relation, il y a peut-être lieu de se demander si la personne qui a choisi inconsciemment un tel partenaire n'a pas échoué en *Dépendance* pour fuir elle-même l'intimité. Choisir un partenaire qui ne rompt pas clairement avec ses « ex » et qui entretient des sous-entendus peut être bien utile pour éviter l'intimité et nous faire vivre de l'intensité, mais cela peut aussi contribuer à nous enliser dans la *Dépendance* et un climat d'insécurité qui tiennent lieu de *parcs d'attraction émotifs*.

Il faut aussi savoir où nous en sommes avec nos propres *vaisseaux fantômes des « ex »* avant de nous aventurer en

Amour avec une autre personne. Cela n'implique pas nécessairement d'exiger de nous-même ou de notre partenaire une
coupure définitive avec ceux-ci : ils font partie des relations
modernes. Il faut composer avec eux tout en protégeant
l'intimité de la relation actuelle et en prenant soin adéqua-
tement des besoins sous-jacents. Les provocations mutuelles
à ce titre ne satisfont pas les besoins sous-jacents et font
plutôt dériver dangereusement le couple vers les *récifs de la
Jalousie.*

Les récifs de la Jalousie

De nombreux couples font naufrage
lorsqu'ils se heurtent aux *récifs de la
Jalousie.* N'utilisant pas la *boussole de
l'intelligence émotionnelle*, ils ne savent
pas comment manœuvrer en direction des
besoins de sécurité et atteindre les *plaines
de Confiance.*

Les *récifs de la Jalousie* représentent l'agressivité ressentie
envers une personne dont on se figure, à tort ou à raison, qu'elle
possède quelque chose que l'on n'a pas et que l'on désire. Dans
cet endroit près de la *Dépendance*, nous sommes plus accrochés
à la peur de perdre ce que nous avons et au désir de posséder
davantage que prêts à nous investir dans la relation. Le besoin
sous-jacent à la *Jalousie* est souvent illusoire, c'est celui de posséder une personne ou ses richesses, un peu comme les premiers explorateurs, qui convoitaient les richesses des territoires
visités ou conquis.

Nous aimerions tant être la « destination » de l'autre, le
centre de son monde. Mais c'est *l'Amour* qui est une destination
et non la personne. Il faut avoir le courage et l'humilité de
reconnaître que l'*Amour* est plus grand que nous et que nous
devons parfois renoncer à y aller avec certaines personnes, qui
auront de meilleurs partenaires de voyage que nous...

La jalousie nous enseigne quelque chose d'important, soit de trouver des moyens de s'occuper de notre besoin de sécurité, notamment en regard de notre valeur personnelle. Sur le plan sexuel, nous pouvons demander à notre partenaire si nous sommes le meilleur amant qu'il ou elle ait rencontré, mais lui demander ce qui lui plaît dans notre façon de faire l'amour aura plus de chances de nous rassurer.

Ainsi, traverser les *récifs de la Jalousie* nous permet de vivre avec la présence des autres en *Amour* et à composer avec les vagues chaotiques du troisième terme.

Le chaos du troisième terme

Le troisième terme est un terme générique désignant la présence d'un tiers dans la relation. Il peut unir ou diviser selon l'état dans lequel le couple se trouve. Celui-ci est une présence qui empêche le couple de se refermer sur lui-même et de fusionner. C'est en quelque sorte le chaos qui permet de garder une ouverture entre deux personnes, en les empêchant de se cristalliser en *Dépendance* dans des rôles rigides. Cette troisième personne va créer un déséquilibre dans le couple et le pousser à chercher l'équilibre, comme une vague nous incite à l'épouser plutôt qu'à lui résister. L'insécurité qu'elle génère est donc inévitable, mais à dose acceptable, elle pousse les conjoints à chercher de nouveaux pôles de sécurité dans la relation, en plus de lui insuffler du mouvement.

Les *vaisseaux fantômes des « ex »* ne sont pas les seules formes de troisième terme. Les *vaisseaux pirates* que représentent d'éventuels prétendants, la belle famille et même les enfants, qui viennent perturber la fusion confortable entre deux êtres, en sont des exemples, puis il y a aussi les *tricksters* de couple.

Les *tricksters* de couple

Tricksters

Il arrive parfois que le couple qui voyage en *Amour* vive des rencontres qui vont lui donner un électrochoc, voire le transformer. Les *tricksters*[16] de couple créent du chaos dans une relation, comme nous l'avons vu précédemment dans l'exemple de Vincent et Léa, son amie photographe. Le *trickster* est un troisième terme perturbateur, créateur de nouveaux élans pour les deux partenaires. J'ai abondamment parlé de ces rencontres qui nous transforment individuellement dans *Les hasards nécessaires*. Des personnes ou d'autres couples peuvent aussi transformer un couple, lorsqu'ils émergent au bon moment. Ils agissent comme des variations chaotiques dans le battement cardiaque, comme lorsque le battement du cœur amoureux menace la santé du couple, tel un vrai cœur pompant le sang.

Ces *tricksters* peuvent aussi prendre la forme de livres, de films ou d'objets culturels à même de bouleverser la trajectoire d'un couple. Les voyages et les vacances sont des lieux et des moments propices pour rencontrer ces *tricksters,* qui peuvent parfois redonner un nouveau souffle à la relation, sortir le couple de l'*île de la Dépendance* (ce qui n'est jamais facile) ou lui permettre de s'affranchir des autres îles avoisinantes.

L'île de l'Amour-idéal

Sortir de l'*île de la Dépendance*, c'est aussi résister aux sirènes de l'*île de l'Amour-idéal,* qui se trouve à proximité. Nous avons tous quelque part dans un coin de

---

16. Voir à ce sujet mon livre *Les hasards nécessaires : la synchronicité dans les rencontres qui nous transforment.*

notre esprit une île où vivent nos amoureux idéaux: amours d'adolescent, actrices intouchables, professeurs idéalisés, amours non vécus ou rencontres synchronistiques qui n'ont pas abouti. Les rencontres passées que nous avons idéalisées, les personnes qui nous ont bouleversé mais avec qui nous n'avons pas trouvé de routes pour cheminer dans la réalité, les relations qui se sont mal terminées ou les fantasmes non avoués prennent souvent la forme de *vaisseaux fantômes* avec lesquels la réalité du quotidien ne peut rivaliser.

En demeurant sur cette île à proximité de l'*île de la Dépendance*, on s'accroche davantage à l'émotion intense que nous procurent ces fantasmes qu'à l'idée d'une relation éventuelle. Dans cette île, nous sommes en relation avec l'idée de l'amour davantage qu'avec une vraie personne. Cette région favorise donc l'une des formes les plus importantes de dépendance de notre époque: la dépendance aux possibilités. Vivre nos amours dans l'idéal et croire que tout est possible nous procure notre dose d'intensité, mais nous enferme et nous limite aussi, paradoxalement.

Il s'agit d'une dépendance dont souffre Xavier le personnage principal du film *Les poupées russes.* Il cherche la femme parfaite mais ne s'engage réellement avec aucune. Il est prisonnier des possibilités. De la même façon, il ne s'engage pas vraiment dans l'écriture de son roman, qui existe aussi quelque part sur cette île idéale. En n'ayant pas fait le deuil de son idéal, il ne peut pas progresser en *Amour* et demeure prisonnier de ces possibilités qui finissent par briser toutes ses relations réelles et par l'éloigner de la véritable Aventure amoureuse.

Contourner l'île sans céder au chant de ses sirènes est fort périlleux mais nécessaire. Cela fait partie des sacrifices à faire pour préserver la relation et continuer la route vers la terre ferme de l'*Amour-durable*.

Il s'agit de prendre conscience de ces idéaux et de pouvoir les nommer sans toutefois céder au mirage. Sur l'*île de l'Amour-idéal* de Vincent et d'Ariane, par exemple, se trouvent des personnes idéalisées qui ont été nommées dans la relation mais qui ne constituent pas une menace, car ils ont décidé ensemble de les laisser sur cette île.

C'est en renonçant à l'*île de l'Amour-idéal* et aux sirènes de l'intensité émotionnelle qu'une personne peut retourner dans le *sentier du Jeu*. Elle peut alors mettre en relation les parties d'elle-même qui s'opposent, réelles et idéalisées, à l'intérieur même d'un parcours amoureux. L'expédition amoureuse est trop importante pour perdre la richesse de toutes ces parties qui pourraient chercher à se frayer des chemins dans les îles paradisiaques mais illusoires de l'*Amour-idéal* ou de la *Dépendance*. Nous devons porter attention à toutes les facettes de notre personnalité pour atteindre l'*Amour-durable*.

Il n'est pas facile de voir notre relation dans la réalité, tout comme il était difficile pour les grands navigateurs comme James Cook de quitter les îles paradisiaques du Pacifique et les tentations sublimes des Vahinés. La désertion et les mutineries étaient fréquentes à cette époque. De la même façon, à force de fréquenter la *Dépendance* et ses paradis artificiels, nous risquons de perdre des parties de notre âme. Nous devons alors en prendre conscience et les récupérer afin de continuer le voyage en *Amour*. Autrement, ces parties de nous-même vont se retourner contre nous, par des mutineries ou la *contrebande de libido*, et engendrer de profondes dissociations…

Les risques de dissociation sur l'île de la Dépendance

Les tentations de l'*île de l'Amour-idéal* ou de celle de la *Dépendance* poussent parfois l'expédition amoureuse à se scinder, comme l'équipage d'un navire qui n'arrive pas à s'entendre pour suivre le capitaine. La personne est alors confrontée à de profondes divisions. Des clans se forment et se battent à l'intérieur d'elle et avec l'autre, et tentent de saboter la relation ou même de causer une mutinerie.

Aveuglé par la recherche de l'intensité émotionnelle ou de l'*île de l'Amour-idéal,* celui qui n'a pas nourri suffisamment ses besoins se retrouve avec un équipage de besoins qu'il ne peut plus maîtriser et qui peuvent même lui sembler étrangers.

Bien installée dans son rôle de nouvelle mère de famille, Ariane avait fait taire certains désirs qu'elle jugeait inavouables. Elle n'arrivait pas à faire coexister son rôle de mère respectable et rangée et certains de ses désirs sexuels. Ces parties d'elle-même étaient donc dissociées, l'une se trouvait dans les *sables mouvants des Rôles* de la *vallée du Quotidien* et l'autre quelque part dans l'*île de l'Amour-idéal*. Elle fantasmait sur des comédiens inaccessibles et idéalisés incarnant des rôles de voyous. Elle n'osait pas faire part à Vincent de ces désirs de soumission qu'elle n'assumait pas encore totalement et les cachait dans cette île hors de la relation.

Vincent, de son côté, ne pouvait plus envisager de faire l'amour avec Ariane comme jadis et fut tenté par l'infidélité. Alors qu'il était dans le *désert de l'Ennui*, il passait ses nuits sur Internet, se tournant progressivement vers les paradis artificiels de l'*île de la Dépendance*. Par hasard, il tomba sur le blogue érotique de Léa, une photographe professionnelle, et commença une correspondance avec elle. Léa devint pour lui un objet de désir.

Il est très important de surveiller le climat émotionnel en *Amour*. Il agit comme un baromètre annonçant la présence de l'ombre et le temps ou les tempêtes à venir. C'est à partir du moment où il prit conscience que toutes ses pensées et émotions étaient tournées vers Léa qu'il décida d'agir. Alors qu'il avait toujours été honnête avec Ariane, sa peur de lui parler indiquait qu'il se passait quelque chose de différent et d'inquiétant. Une ombre se glissait entre eux, ce qui indiquait l'importance d'aborder le sujet pour éviter un ennuagement plus important et des orages encore plus violents dans le couple...

Ce qui naît dans l'ombre prend aussi sa force dans l'ombre. Il envisagea alors de ramener cette ombre dans la lumière, car elle prendrait sinon possession de lui et menacerait très sérieusement sa relation avec Ariane.

Il pouvait être, avec Léa, à l'opposé de l'image parfaite qu'il avait de lui-même et se surprenait à lui dire des choses qu'il n'avait jamais révélées à personne. Il entrait en contact avec des facettes de lui-même jusque-là insoupçonnées, celles de l'artiste photographe refoulé et du libidineux séducteur. Au début, il ne pouvait pas intégrer ces dissociations à sa personnalité, tout comme Ariane, qui différenciait en elle la mère et la femme fatale. Léa incarnait pour lui *l'ombre de sa relation avec Ariane*.

C'est par un hasard nécessaire que cette ombre s'est fait jour et que cette situation s'est améliorée. Une nuit, alors que Vincent clavardait avec Léa, Ariane s'est réveillée. Plutôt que de cacher son écran, Vincent entreprit de raconter à Ariane ce qui se passait réellement. Il décida ensuite d'enregistrer et de montrer ses sessions de clavardage à Ariane.

Après le choc provoqué par ces révélations, sa franchise a donné une nouvelle direction à leur relation. Ils ont alors emprunté une voie d'intégration des dissociations. La sincérité peut être un moyen d'aider certains couples d'aujourd'hui à surmonter les tentations et les périls causés par *l'ombre de la relation*. Chaque personne doit assumer ses émotions et ses désirs – même les plus fous et les plus incompatibles avec l'image qu'elle montre au grand jour –, pour s'intégrer et se montrer telle qu'elle est à son compagnon de voyage, tout en lui témoignant du respect.

Vincent a appris à confronter sa peur de parler et à inclure sa conjointe dans ses escapades virtuelles en enregistrant ses conversations avec Léa. De plus, il a commencé une correspondance érotique avec Ariane sous un pseudonyme. Ils se sont ouvert un nouveau compte de messagerie dédié uniquement à la dimension érotique de leur relation, pavant ainsi la voie à plus de folies et de coquineries.

Internet est un lieu propice pour rencontrer nos dépendances et notre ombre et peut provoquer des dissociations dans notre personnalité. Assumer nos désirs et nos besoins est peut-être le meilleur moyen d'atténuer les effets dissociatifs de *l'ombre de la relation*.

Le nuage de l'ombre de la relation

Un passage en *Dépendance*, c'est donc non seulement la rencontre avec notre ombre personnelle, mais aussi avec l'*ombre de la relation*, c'est-à-dire tout ce à quoi nous avons renoncé pour être dans cette relation, mais que nous n'avons pas encore assumé ou intégré. Dans le cas d'Ariane et Vincent, cette ombre avait pris le visage de Léa. L'ombre personnelle de Vincent était son côté artistique et ses fantasmes sexuels, qu'il avait besoin d'exprimer, mais qu'il n'osait pas vivre avec Ariane. La dimension de jeu qui était dans l'ombre d'Ariane a pris vie par les jeux érotiques photographiques et leur a permis de libérer aussi une partie de l'ombre de leur sexualité. Léa représentait une bonne partie de ce qui avait été refoulé par le couple.

La tolérance aux opposés

Nous avons tous des parties de nous-même dont nous avons honte et que nous ne voulons montrer à personne, y compris à notre partenaire. La faible tolérance à nos opposés et la difficulté à tolérer certains aspects de notre personnalité renforcent cette ombre et les dissociations qui en résultent.

Personne ne peut promettre à son partenaire d'être toujours le même. Mais on peut promettre d'être intègre, c'est-à-dire de se consacrer à intégrer les opposés en soi au lieu de les ignorer. Nous pouvons nous engager à nous occuper de notre ombre en *Amour,* en assumant la pleine responsabilité de ses manifestations et de ses projections. Lorsque les deux personnes prennent en charge leur ombre, celle de la relation diminue.

Nous sommes souvent trahis ou désillusionnés en *Amour* parce que nous ne tolérons pas l'imperfection et les paradoxes de notre ombre et surtout ceux de l'ombre de notre partenaire. Lorsque nous n'assumons pas notre ombre, nous polluons notre environnement affectif, car ce que nous n'assumons pas, nous le déversons chez l'autre. Lorsque les gens assumeront davantage leur ombre, les conflits et les guerres vont diminuer significativement dans les Aventures amoureuses...

Être vrai est plus difficile que chercher la vérité hors de soi, dans une religion par exemple, qui nous maintient souvent en *Dépendance,* ou dans l'institution du mariage. Plusieurs personnes se sont retrouvées, après s'être mariées, face à une ombre terrible. Je crois en la nécessité de rituels pour souligner l'engagement, mais l'institution religieuse du mariage est peut-être en difficulté justement parce qu'elle ne tient pas assez compte de *l'ombre de la relation* et de celle des partenaires.

De la même façon, que l'on pense aux génocides du Nouveau Monde à l'époque de Cortès, commis au nom de la religion, ou aux nombreux prêtres qui assouvissent leurs pulsions sexuelles et sont submergés par leur ombre. Aucun système de vérité extérieur à nous-même ne pourra nous fournir les moyens d'être vrai et de prendre en charge notre ombre. Je crois davantage en la dimension spirituelle qu'en la dimension religieuse du couple. J'ai d'ailleurs lu quelque part que la religion est faite pour ceux qui ont peur de l'enfer et la spiritualité pour ceux qui en reviennent.

L'autre nous initie et nous donne accès à nous-même dans la mesure où nous explorons avec courage ce que nous sommes réellement et que nous ne fuyons pas en *Dépendance,* dans un système de croyance organisé. Faire face à l'ombre est donc une étape essentielle de l'Aventure amoureuse, notamment pour sortir de la *Dépendance.* Nous sommes susceptibles de la rencontrer dans le chemin vers l'*île de la Dépendance,* dans la *jungle des Jeux-de-pouvoir,* où elle est projetée massivement sur l'autre, mais aussi lorsque nous nous retrouvons dans l'*abysse des Amours-impossibles,* la dernière région de l'archipel des *îles de la Dépendance.*

L'abysse des Amours-impossibles

Le défi de toute l'Aventure amoureuse est de trouver un lieu qui permette au couple de vivre son amour avec sa part d'ombre. Mais il arrive que nos rencontres ne trouvent pas de lieu pour s'incarner. La relation se perd alors dans l'*abysse des Amours-impossibles*[17]. Cet endroit, comparable au triangle des Bermudes, est situé en plein centre du triangle formé par l'*île de la Dépendance*, l'*île de l'Amour-idéal* et l'*île des Plaisirs*. C'est là que s'engouffrent la plupart des rencontres de Claudia, une éternelle célibataire de 36 ans.

Claudia est une fan des relations impossibles avec des hommes lointains ou qui ne peuvent fournir un engagement sain. Elle a profondément peur d'être vue dans l'intimité et recherche l'intensité à tout prix, souvent par le biais de rencontres virtuelles. Elle retrouve cette intensité en fréquentant des hommes distants ou des séducteurs qui ne lui apportent que de l'incertitude. Elle cultive le sentiment d'attente : elle attend une confirmation de l'autre sur sa valeur personnelle, mais celle-ci n'arrive jamais, car elle idéalise la relation et prend plaisir ensuite à se culpabiliser d'être encore tombée dans le panneau. Elle entretient l'idée qu'elle n'est pas aimable, ce qui se répercute dans le choix de ses partenaires de voyage. Comme toutes les personnes vivant dans les environs de la *Dépendance*, elle tient davantage à vivre certaines émotions qu'à être en relation. Elle cherche possiblement la confirmation qu'au fond, elle est une mauvaise personne. L'*abysse des Amours-impossibles* est un lieu tout désigné pour cultiver certaines émotions de l'enfance, particulièrement la faible estime de soi. Le fait d'entretenir des

---

17. Pour cette région, voir l'excellent livre de Jan Bauer : *L'amour impossible ou la folie nécessaire du cœur.*

amours lointains ou impossibles témoigne de la grande distance qu'entretient Claudia avec elle-même, et de son incapacité à s'occuper de son estime de soi.

L'abysse des Amours-impossibles nous permet, en concentrant sur une personne absente nos désirs, d'éviter de faire face à l'angoisse du choix de partenaire réel. Même si la personne convoitée est inaccessible, toutes nos pensées et nos sentiments sont occupés à chercher le rapprochement et les gestes que nous faisons sont destinés à le provoquer, anesthésiant du coup toute forme de doute quant au choix du partenaire. Nous cultivons alors l'idée que nous ne sommes pas dignes de l'amour, pour expliquer que l'autre s'éloigne de nous...

Les gens qui nous ouvrent les plus grandes portes

Dans *Les hasards nécessaires*, j'ai décrit de quelle manière les gens qui nous ouvrent les plus grandes portes ne les franchissent pas nécessairement avec nous. Souvent, on me demande si une rencontre hautement synchronistique ou une relation prise dans *l'abysse des Amours-impossibles* peut évoluer en *Amour-durable*. C'est en examinant attentivement le climat émotionnel d'une relation qu'on peut déceler des indices sur son sens profond, sur la direction qu'elle peut prendre. Une rencontre synchronistique est fortement chargée émotionnellement et les projections y sont nombreuses. Un équilibre doit donc être établi entre la charge émotionnelle et le projet de transformation des partenaires. Lorsque nous nous accrochons davantage à l'émotion intense et aux projections qu'à la relation, il y a fort à parier que celle-ci sera détruite par cette intensité et que nous devrons franchir seul la porte, comme cela arrive souvent dans les rencontres passionnées...

Lorsque l'équilibre est possible entre la charge émotionnelle et la réalité, qu'il y a un respect des différences entre les partenaires, une confiance et des buts communs réellement partagés par les deux personnes, la poursuite du voyage en *Amour-durable* est possible.

Continuer le voyage

Nous pouvons rester longtemps dans le triangle formé par l'*île de la Dépendance*, l'*île de l'Amour-idéal* et l'*abysse des Amours-impossibles*. Il faut parfois repasser par l'endroit où nous avons souffert pour aller plus loin en *Amour,* comme je l'ai mentionné précédemment. Là se pose le défi de la véritable autonomie amoureuse. Sommes-nous plus attirés par une émotion intense ou par un projet de relation durable avec notre partenaire ? Pouvons-nous rétablir un équilibre, un jeu entre les deux ? Le défi est de taille, mais il n'est rien comparé à celui de la prochaine étape. Le danger qui guette alors le couple est celui de s'enliser dans un endroit qui génère encore plus d'intensité et qui est encore plus terrible que l'*île de la Dépendance*.

Lorsque l'Aventure amoureuse manque de piquant, il est tentant de chercher à se piquer et à se faire de petites guerres. Les guerres bactériologiques ou le terrorisme ne sont rien comparés aux guerres que nous allons retrouver à la prochaine destination. En ce lieu, les guerres sont encore plus virulentes et sournoises que celles que nous avons pu voir aux journaux télévisés. C'est la fameuse *jungle des Jeux-de-pouvoir...*

Les terres de Reconnaissance
et la Jungle des Jeux-de-pouvoir

Chicanes de valeurs
et éducation des enfants

Ta-Raison
Ta-Tort

Sentier du Jeu

Reconnaissance

Toundra Affective

Trahison

Bataille de
l'argent

Jungle des Jeux-de-pouvoir

Embargos
sur le sexe

Bataille des
tâches ménagères

Aire de
Respect

Contrebande
de libido

Lancer du blâme

Mur du
Silence

Port de
l'Indécision

Mer de
l'Indifférence

Vers les îles d'infidélité

Mépris

La jungle des Jeux-de-pouvoir

Il n'y a rien de plus dangereux qu'une idée.
Surtout lorsque nous n'en n'avons qu'une seule...

ÉMILE CHARTIER

La folie, c'est de faire toujours la même chose
Et d'espérer des résultats différents.

EINSTEIN

La *jungle des Jeux-de-pouvoir* est de loin le lieu des plus grands défis de toute l'Aventure amoureuse et je m'y suis retrouvé à de nombreuses reprises. Je me souviens d'une relation que j'ai vécue avec une ancienne partenaire, où l'activité principale était de chercher à avoir raison. Nous passions nos samedis soir à essayer de prendre l'autre en défaut pour gagner des points, comme d'autres jouent au scrabble ou aux quilles. C'était devenu le sport national de notre couple. Puis, nous avons découvert que les confidences pouvaient devenir une arme redoutable lorsque nous les retournions contre l'autre.

À l'époque, je ne réalisais pas que j'étais dans cette jungle et à quel point ce cul-de-sac était destructeur. Aujourd'hui, avec plus de recul, je crois pouvoir mieux identifier ce qui conduit à cet endroit. En examinant la carte, on y arrive en s'éloignant des *terres de Reconnaissance,* en quittant le *sentier du Jeu* et en bifurquant par l'infernal *sentier entre T'as-tort et J'ai-raison,* qui conduit directement à la *jungle des Jeux-de-pouvoir* et à ses quatre champs de bataille principaux: le lit, l'argent, l'éducation des enfants et les tâches ménagères.

Les batailles pour les terres de Reconnaissance

Comme le mentionne Guy Corneau: « La guerre, dans le couple ou dans le monde, est toujours plus susceptible d'éclater lorsque les territoires sont mal définis. » On se bat toujours pour la reconnaissance de quelque chose et pour affirmer notre autonomie. C'est valable pour les pays, mais aussi pour les amoureux, qui veulent se sentir à nouveau reconnus, comme en *Amour-naissant.* Toutefois, nous nous entêtons souvent à n'emprunter qu'une seule voie, qui consiste à montrer à l'autre que nous avons raison et qu'il a tort: le fameux *sentier entre T'as-tort et J'ai-raison.* Si le couple emprunte ce sentier, il n'arrivera jamais aux *terres de Reconnaissance* et s'enfoncera plus profondément dans la *jungle des Jeux-de-pouvoir.* Lorsque le couple se trouve dans cette jungle, le cerveau reptilien[18] des partenaires, responsable de la protection du territoire et du combat, est fortement sollicité, ce qui alimente d'autant plus l'intensité des conflits.

Au fil des témoignages reçus, j'ai pu constater que cette jungle est l'un des lieux les plus peuplés de l'*Amour.* Plus de 75 % des couples y sont installés solidement. Dans cet endroit, de curieuses croyances existent. Certains sont sûrs, par exemple, que leurs partenaires peuvent deviner leurs moindres désirs sans qu'ils aient à demander quoi que ce soit. Cette croyance engendre parfois de grandes frustrations et provoque de violents combats pour la *Reconnaissance.*

---

18. Voir à ce titre l'excellent livre: *Reptiles in love: Ending destructive fights and evolving toward more loving relationship,* de Don Ferguson.

Une autre croyance fort répandue en ce lieu est celle qu'il est possible de changer l'autre. Désirer contrôler l'autre au lieu de le laisser être ce qu'il est, vouloir le changer contre son gré est la racine de toutes les guerres. « L'arme de destruction massive » utilisée est le *lancer du blâme. Lancer le blâme* et porter des attaques personnelles, plutôt que de décrire des comportements ou des situations problématiques que nous désirons voir changer, cause un profond enlisement dans cette jungle. Toutefois, il y a une technique pour aider les amoureux à en sortir, lorsqu'ils n'y sont pas encore trop empêtrés, qui peut porter fruit : le *recyclage du blâme*.

Le lancer et le recyclage du blâme

Le blâme est une généralisation de ce qui nous agace chez l'autre. C'est la plus grande forme de pollution relationnelle qui puisse exister, car il fait beaucoup de dégâts à long terme. Sa « demi-vie radioactive » peut être très longue et très dommageable dans le cœur de l'autre.

Le *recyclage du blâme* consiste à transformer un reproche en demande précise. « Tu m'étouffes, j'ai besoin de liberté » comporte un blâme et la manifestation d'un besoin de liberté. Mais il est difficile de définir la liberté. Il faut se demander comment se traduit concrètement ce besoin. « J'aurais besoin de mon mardi soir pour aller faire du sport » est un *recyclage du blâme*, la demande y est plus précise. Par ailleurs, pour recycler celui-ci en demande, il peut être tout indiqué d'avoir recours au « je » et surtout de faire preuve de créativité et d'imagination.

J'ai eu, dans le passé, la fâcheuse habitude de laisser traîner les vieux contenants de lait vides sur le comptoir de la cuisine, ce qui exaspérait ma copine. Comme elle est sensible à l'environnement, elle a fait plusieurs tentatives pour me faire comprendre sa frustration, sans résultats. Un jour, plutôt que de tenter de me transformer en fervent environnementaliste, elle a changé son approche avec moi.

Un matin, alors que j'avais laissé un contenant de lait et un pot de confiture vides sur le comptoir, j'ai aperçu, sur les contenants, deux *Post-it*, qu'elle y avait collé. Sur ceux-ci étaient dessinés deux petits bonhommes qui m'indiquaient leur désir de se retrouver au recyclage. J'ai trouvé sa façon de me faire comprendre sa frustration fort amusante et cette image a eu un tel impact sur moi que je recycle maintenant tous mes contenants vides.

Plutôt que de décrire un comportement qui nous agace et que nous désirons voir changer, le blâme vise la personne même. C'est pourquoi il est important de préciser les sources d'agacement de la façon la plus objective possible. Ainsi, plutôt que d'accuser l'autre d'être lâche ou paresseux, il est plus efficace de décrire les comportements que nous désirons transformer, comme dans l'exemple des *Post-it*. Si ces demandes ne sont pas entendues, il faut persister en faisant preuve de créativité.

Il va sans dire que le *recyclage du blâme* en *Amour* peut parfois être très difficile. Mais l'objectif est toutefois toujours le même : améliorer la relation au lieu de s'acharner à changer l'autre, indiquer des comportements à transformer plutôt que d'attaquer la personne. Cela conduit à déplacer le pouvoir en mettant l'accent sur nos émotions et nos besoins, au lieu de le donner à l'autre. Dans le cas où le *recyclage du blâme* est impossible à cause de la pollution causée par les nombreuses frustrations accumulées, il peut être utile de prendre conscience de ce qui revient régulièrement dans nos conflits. Il y a un plaisir malsain à jouer à prendre l'autre en défaut, qui peut devenir une drogue chez les couples de la *jungle des Jeux-de-pouvoir*. Certaines personnes sont alors attirées inconsciemment par les émotions que génèrent des conflits et les répètent donc mécaniquement.

On ne se bat jamais par hasard en *Amour*. Les thèmes, la façon de faire et les lieux où on se livre bataille sont presque toujours les mêmes. On peut apprendre beaucoup sur un couple en examinant sa façon de voyager, mais aussi et surtout sa façon de se faire la guerre et l'endroit où il choisit de la faire…

Les embargos sur le sexe

Des quatre champs de bataille principaux : les tâches ménagères, l'éducation des enfants, l'argent et le lit, ce dernier est sans conteste témoin des combats les plus virulents de tout le parcours amoureux. Il est aussi le lieu par excellence du *lancer du blâme*. «Tu es obsédé par le sexe! Tu es égoïste! Tu ne penses qu'à ton plaisir», répétait parfois Ariane à Vincent lors de leurs visites à mon bureau. Sa frustration a conduit Ariane à lever des embargos sur le sexe et à s'interdire toute relation sexuelle, ce qui a eu comme répercussions de frustrer Vincent encore davantage.

De son côté, Vincent s'accrochait à l'intensité initiale, le «club Med» de l'*Amour*. Il cherchait à obtenir des satisfactions sexuelles même s'il ne contribuait plus par la tendresse et les préliminaires. Il se comportait comme s'il n'avait jamais quitté l'hôtel de l'*Amour-naissant* et qu'il espérait y loger sans avoir à payer la note, mais il se faisait mettre à la porte du lit pour des raisons qu'il avait du mal à comprendre.

Cet exemple est classique et démontre comment la frustration des partenaires peut conduire aux embargos sur le sexe mais aussi comment le besoin sexuel diminue en *Amour* et devient un défi pour la créativité. Malheureusement, le désir sexuel ne fonctionne pas de la même façon dans l'hémisphère nord que dans l'hémisphère sud. Au sud, en *Amour-naissant*, il s'allume presque tout seul. Au nord il fait plus froid, il faut donc chauffer davantage.

Pour compliquer le tout, les besoins sexuels diffèrent entre les êtres et les sexes. Il faut donc porter une attention particulière à notre *ciel des Désirs* et à celui de l'autre, au lieu de se blâmer ou de le blâmer. Il est de mise de faire face à nos désirs sans remettre en question notre identité lorsque nous découvrons des différences entre les nôtres et ceux de notre partenaire. Il faut bien le mentionner, en matière de sexualité, le *ciel des Désirs* peut parfois nous révéler des surprises...

Roxanne, qui voyage en *Amour* avec son conjoint Réjean depuis neuf ans, lui a finalement avoué qu'elle a besoin de se sentir désirée par les hommes mais aussi, à la grande surprise de Réjean, par les femmes, lorsqu'elle se retrouve dans une fête, par exemple. Cela ne veut pas dire qu'elle ne désire plus son mari pour autant. S'ils se trouvaient dans la *jungle des jeux-de-pouvoir*, Réjean accuserait sûrement Roxanne d'être une allumeuse ou une séductrice. Mais avec un peu d'efforts, il est à même de comprendre qu'elle peut exprimer ce besoin sans qu'il se remette en question et sans qu'elle passe à l'acte nécessairement. En fait, la franchise peut être un puissant aphrodisiaque et au retour de leurs fêtes, elle pourrait leur permettre d'agrémenter leur vie sexuelle au moyen de ces images et de ces fantasmes...

Pour revenir en *Reconnaissance*, il faut apprendre à « reconnaître » l'autre, c'est-à-dire prendre le temps de découvrir la nouvelle personne qui est en face de nous. Elle nous paraît différente de celle que nous avons rencontrée lors de nos ébats passionnés sur les plages de l'*Amour-naissant*, elle évolue et nous devrons apprendre à la redécouvrir et à l'apprivoiser à chaque étape de l'Aventure amoureuse.

L'échec de la rencontre, c'est toujours le combat. Dans le lit, cela conduit souvent à des stratégies plus subtiles. La *contrebande de libido* est alors une réaction fréquente aux embargos sur le sexe.

La contrebande de libido

Lorsque les partenaires ont peur d'exprimer leurs besoins, notamment par crainte d'être blâmés ou mitraillés de «tu tu tu», les insatisfactions sexuelles demeurent dans des «interdits», ou des «non-dits» qui risqueront de former plus loin des tabous. Il est alors possible que l'un des membres du couple soit tenté par la *contrebande de libido*, c'est-à-dire qu'il aille chercher ailleurs que dans la relation des moyens de satisfaire ses besoins sexuels, comme on l'a vu dans l'exemple de Vincent et Léa.

Le *sentier du Jeu*, qui jalonne toute l'Aventure amoureuse, sert à baliser la relation. Ses règles, ainsi que l'espace que se donnent les partenaires, sont variables d'un couple à l'autre, mais il peut arriver qu'une personne triche et s'en écarte totalement. Toutefois, nous trichons toujours par rapport à des règles établies, comme dans n'importe quel jeu. Nous trichons au jeu de l'amour d'abord avec nous-même, et cela se répercute ensuite dans la relation. Lorsque nous sommes aux prises avec un conflit intérieur et que nous avons peur de l'exprimer à notre partenaire, nous pouvons chercher des voies de sortie comme la *contrebande de libido*. Le conflit vient de notre incapacité à assumer certains de nos besoins et à négocier de nouvelles règles avec notre partenaire afin de continuer à «être dans le jeu» avec lui.

L'endroit où l'on situe le désir révèle aussi les étoiles que nous avons l'intention de suivre, dans notre voyage en *Amour*. Il est donc de mise d'être conscient de l'orientation de nos désirs et des périls qui existent hors des règles de jeu du couple. Lorsque nous perdons le désir d'avoir toute forme de plaisir, sexuel ou non, avec une personne, il faut se questionner et se responsabiliser. Lorsque les partenaires vont chercher le plaisir à l'extérieur de la relation, le couple n'est pas loin du mépris et de la trahison...

Escales de groupe

Certains couples décident de faire de la *contrebande de libido* avec d'autres, en toute franchise. Certains voyageurs sont donc ouverts aux échanges et aux voyages de groupe. Ces escales de voyage en *Amour* ont acquis une très grande popularité de nos jours, particulièrement au Québec, depuis qu'elles ont été légalisées.

Bien que cette dimension du voyage amoureux ne soit pas encore bien documentée par les chercheurs, j'ai pu observer, à travers les témoignages que je reçois, que les facteurs qui contribuent à l'échec ou la réussite de ces escales de groupe sont les mêmes que ceux qui régissent le voyage à deux. La relation doit être tout aussi importante que le plaisir recherché. Autrement dit, il faut une relation solide et une excellente communication entre tous les participants. Respect, confiance et des motivations clairement identifiées sont de mise pour s'aventurer dans ces lieux à haut risque.

Nous recherchons de nouvelles sensations pour les mêmes raisons que nous voyageons : pour explorer ou pour fuir. Si nous fuyons dans les plaisirs sans nous préoccuper de notre relation, ceux-ci représentent une menace, comme toute dérive en *Dépendance*. Au lieu de régler le problème, le couple l'exacerbera en ayant recours à des escales de groupe, celles-ci creuseront un fossé entre les partenaires. Toute recherche de sensation doit donc s'accompagner d'une quête de sens et de relation.

Tous les participants doivent donc être consentants et conscients des buts recherchés. Personne n'aimerait partager sa chambre d'hôtel avec un intrus sans son consentement. Il est donc utile d'examiner d'abord les motivations qui poussent un couple à faire entrer d'autres voyageurs dans son expédition, afin de fixer des règles du jeu claires.

Si Julie accepte de faire l'amour à trois alors qu'elle et son partenaire ont de la difficulté à vivre une intimité sexuelle, pour faire plaisir à son partenaire et par crainte de le perdre, elle ne retirera pas grand-chose de positif de l'aventure. En revanche, Chantale, qui a une très bonne complicité avec son partenaire et qui désire explorer ses fantasmes homosexuels, en retirera plus d'avantages en communiquant ce besoin à son partenaire et en établissant clairement avec lui ce qu'ils sont prêts à vivre dans cette escale de groupe et les règles du jeu auxquelles ils doivent se soumettre. De plus, ils pourront se rassurer en établissant une règle essentielle : l'escale de groupe peut se terminer à tout moment si l'une des personnes est mal à l'aise.

La guerre des valeurs

L'arrivée d'un enfant peut faire l'effet d'un tremblement de terre à beaucoup de couples qui voyagent en *Amour,* mais cet événement ne fait que révéler des fissures et creuser des fossés déjà présents qui séparent les partenaires.

Alors que la mère revient en *Amour-naissant* avec son poupon, le père se sent souvent exclu de leur union. Il peut alors être tenté par la *contrebande de libido* ou chercher à se retrouver à nouveau en *Amour-naissant,* comme sa partenaire.

Il se crée naturellement une bulle entre la mère et l'enfant, dont l'homme est souvent un observateur extérieur. Il est parfois inconsciemment jaloux du bébé, d'autant plus qu'il se voit souvent privé d'une vie sexuelle avec sa femme. C'est l'apparition d'un autre type de troisième terme, qui offre une occasion d'élargir le « nous » du couple. Rappelons-le ici, le troisième terme est une présence qui offre une occasion à la relation de respirer, parce qu'elle empêche les partenaires de fusionner.

Souvent l'homme voudra retourner en *Amour-naissant* avec une autre femme ou aller en *Dépendance.* Il serait plus approprié qu'il se responsabilise. Il n'y a pas de solutions miracles à cette nouvelle réalité : soit l'homme lui fait face, soit il la fuit. Il peut saisir l'occasion de suivre sa femme dans les nouveaux territoires de l'*Amour*, et se diriger avec elle vers l'*Amour-durable* en y incluant un troisième terme, l'enfant. C'est pour lui l'occasion d'apprendre une nouvelle façon d'aimer à trois.

L'arrivée d'un enfant dans l'expédition amoureuse est aussi le lieu de confrontation des valeurs. Pour voyager en *Amour-durable*, il est fondamental de partager un certain nombre de valeurs et surtout de ne pas attaquer les valeurs de l'autre. Il peut alors être approprié de connaître et de mettre à jour les valeurs de son partenaire.

Par ailleurs, pour éviter un enlisement dans la *jungle des Jeux-de-pouvoir*, la femme pourra prendre en considération les risques de cette étape et éviter d'exclure le père des soins du bébé. Elle le fait parfois de façon inconsciente en le mitraillant de « tu » : « Tu le tiens mal ! tu le nourris mal ! tu es irresponsable ! », etc. Ces attaques seront souvent interprétées comme des actes de guerre par le partenaire qui contre-attaquera par d'autres « tu » ou se retirera simplement dans ses tranchées.

De façon générale, le père est davantage un joueur, un professeur. C'est peut-être de cette façon qu'il peut reprendre sa place et ritualiser les soins du bébé par le jeu et l'imagination. Ne pouvant pas donner le sein, il peut nourrir l'esprit et « jouer » son rôle de père et d'éducateur à l'intérieur même de la famille au lieu de partir à la chasse et d'aller jouer ailleurs une fois le bébé conçu.

Avoir un enfant n'est pas une tâche facile pour le couple. Il y a des mécanismes biologiques et des dimensions inconscientes archétypales qui poussent l'homme à la chasse et la mère à fusionner avec l'enfant. L'homme doit apprendre à domestiquer cette pulsion. De son côté, la femme peut apprendre à reconnaître la présence de son conjoint, qui peut incarner son troisième terme et lui permettre de ne pas fusionner avec l'enfant...

La guerre des ressources financières

L'argent est un symbole de sécurité et de liberté qui conduit plus d'un couple à se livrer de virulents combats dans la *jungle des Jeux-de-pouvoir*. Notre inconscient va souvent nous pousser à choisir une personne qui va incarner des valeurs contraires aux nôtres en matière d'argent.

Constance, par exemple, a décidé de travailler pour son mari, un homme avec qui elle se sent en sécurité parce qu'il est banquier. Elle, par contre, se dit maladroite avec l'argent et ne possède pas de compte en banque personnel. Elle rêve de liberté, mais mise davantage sur la sécurité, dont elle laisse la responsabilité à son conjoint. Elle a ainsi établi les bases de profondes luttes de pouvoir : elle donne tout le pouvoir à l'autre mais le blâme ensuite de ne pas être juste avec elle.

Liberté et sécurité sont des opposés qui émergent de façon particulière lorsqu'il est question d'argent dans la *jungle des Jeux-de-pouvoir*. Il faut donc revenir à ce qui nous a fasciné au départ, et aux valeurs qui sous-tendent notre rapport à l'argent, pour régler les conflits qui en découlent. Une façon de se sortir des *Jeux-de-pouvoir* financiers est de délimiter les territoires, en ayant chacun un compte personnel (pour la liberté) et un compte conjoint (pour une sécurité à deux).

Indépendamment des solutions « miracles », il s'agit avant tout de se donner des moyens d'équilibrer les besoins de sécurité et de liberté de chacun. Il est aussi de mise de se questionner sur notre choix de partenaire, qui est souvent opposé à nos valeurs à cet égard. Pour sortir de la *jungle des Jeux-de-pouvoir*, il faut faire face aux différences insolubles et aux valeurs qui peuvent parfois s'opposer lorsqu'il est question d'argent.

Bataille des
tâches ménagères

La célèbre bataille du tube de dentifrice

Un autre champ de bataille important en *Amour* se situe autour des tâches ménagères et de notre rapport aux objets quotidiens. Faire la vaisselle, enlever les poils de barbe dans l'évier, passer la balayeuse, nettoyer le bain ne sont certes pas des activités très romantiques, mais elles sont la cause de combats parmi les plus virulents de la *jungle des Jeux-de-pouvoir*.

Nous avons tous et toutes une idée précise de l'endroit où doivent aller les objets, une «carte intérieure de l'ordre». Toutefois, la notion d'ordre est hautement subjective et nous imposons parfois la nôtre à notre partenaire : nous considérons que le tube de dentifrice doit toujours être rangé ou fermé alors que pour lui, il doit impérativement être ouvert sur le comptoir. Jouer à avoir raison ne peut qu'être dommageable. Le tube de dentifrice fait à lui seul des milliers de victimes en *Amour* chaque année.

La brosse à dents symbolise les premiers rapprochements amoureux, la première trace de soi laissée chez l'autre, mais elle représente aussi bien souvent le facteur précipitant le départ. Il est alors de mise de s'interroger sur la dimension symbolique des objets au centre du conflit. Autour de quels objets nous faisons-nous la guerre ? Quelle est leur signification dans notre relation ?

Il va sans dire que les accusations persistantes doivent être suspendues si le couple veut avancer ensemble. Accuser l'autre de ne jamais participer aux tâches quotidiennes ou de contrôler la propreté de la maison ne changera pas grand-chose aux conflits et peut même les accentuer. Des demandes claires et précises à cet égard vont permettre de retrouver un peu de paix et de recycler les blâmes.

Par ailleurs, les tâches ménagères peuvent être un précieux espace de connexion et les objets peuvent retrouver leur dimension symbolique au moyen de prises de conscience et de volonté.

La routine des tâches ménagères nous oblige à faire preuve d'imagination et aussi à négocier avec les différentes valeurs des partenaires. Nous devons la sacraliser, comme nous le verrons dans l'*aire du Respect*, tout près des *terres de Reconnaissance*.

(Ariane et Vincent dans deux de leurs champs de bataille habituels : les tâches ménagères et l'éducation des enfants.)

L'enjeu principal des jeux de pouvoir est toujours le même : la reconnaissance de la différence et la responsabilisation de chacun. Autrement, le couple continue de s'accuser, de se déresponsabiliser et de dériver dangereusement vers le nord, là où les froids risquent de créer de profondes cassures dans la relation.

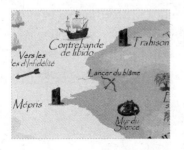

Au nord de la jungle des Jeux-de-pouvoir : le Mépris et la Trahison

Au lieu de poursuivre leur route vers les *terres de Reconnaissance* et l'*Amour-durable*, les partenaires qui n'apprennent pas à recycler les blâmes ou à dénouer les conflits risquent de dévier dangereusement vers le *Mépris* et la *Trahison*.

Par quels chemins un couple arrive-t-il au *Mépris* ? Le mot « mépris » renvoie à un sentiment par lequel on s'élève au-dessus de quelqu'un. Au début, cette supériorité peut être inoffensive, voire appréciée de celui qui la pratique, car il peut avoir ainsi de l'emprise sur l'autre. Mais tôt ou tard, le mépris vient prendre possession de la relation. J'ai observé que le mépris dans une relation survient parfois lorsque les rôles de parents ont été trop utilisés. La personne en charge en arrive à mépriser son partenaire, qu'elle considère non pas comme un égal, mais comme un petit enfant. Elle sent alors qu'elle ne s'est pas donné assez de place, car pour prendre en charge, il faut bien souvent trahir des parties de soi. À ce titre, *Mépris* et *Trahison* sont proches l'un de l'autre.

Un couple se retrouve généralement en *Trahison* lorsque les promesses initiales n'ont pas été tenues et qu'il y a bris de contrat. En *Trahison*, le couple ne respecte pas les règles de jeu qu'il a établies, et qui sont souvent demeurées inconscientes. Lorsqu'il ne rencontre pas dans la réalité ce qu'il a espéré rencontrer en *Amour-naissant*, le couple se sabote par la trahison ou la mutinerie.

En *Amour*, la trahison peut prendre plusieurs formes. La *contrebande de libido* et l'infidélité sont les plus courantes. Elles laissent une trace indélébile dans le parcours amoureux, mais la blessure sera d'autant plus grande si la personne trahie s'est d'abord trahie elle-même, comme l'a vécu Gilbert.

Gilbert s'est sacrifié toute sa vie pour sa conjointe, mais il la méprisait sans le savoir en la sous-estimant et en la prenant en charge. Lorsqu'il a découvert qu'elle était allée chercher ailleurs que dans la relation ses satisfactions sexuelles, il a été sidéré et l'a méprisée encore plus. Il a été incapable de passer à travers cette épreuve et de revenir vers les *terres du Respect*, car il s'est servi de cette trahison pour forcer sa femme à le rembourser de ses sacrifices.

La première forme de trahison, comme d'infidélité, est d'abord envers nous-même. Par exemple, en ne nous occupant pas de nos besoins et en nous sacrifiant totalement pour l'autre. Quant à la personne qui trahit, elle se trahit aussi elle-même en assouvissant ses besoins en cachette au lieu de leur permettre de s'exprimer au grand jour. Nous retrouver en *Trahison* nous invite à nous poser ces questions et à assumer la responsabilité de nos actions et de nos besoins, ce qui n'est pas toujours facile puisque cette solution implique de faire face au conflit. Que nous décidions de le vivre à l'intérieur ou à l'extérieur de nous-même, le conflit est toujours quelque part...

Généralement, un couple qui se perd dans le *Mépris* ou la *Trahison* se trouve dans une impasse. Ce détour amoureux est souvent le symptôme d'une grande détresse et surtout le signe qu'il est temps d'effectuer des changements majeurs dans la relation. Si aucune mesure n'est prise, le couple peut se noyer dans la *mer de l'Indifférence*, mourir de froid dans la *Toundra affective* ou tergiverser dans le *port de l'Indécision*.

Malheureusement, c'est souvent lorsqu'il agonise que le couple demande de l'aide, ce qui rend l'intervention extrêmement difficile, un peu comme un débarquement de troupes alors que la guerre bat son plein. Bien qu'il soit préférable d'y recourir avant, c'est le moment où une aide extérieure est nécessaire pour dépêtrer le couple de ses guerres interminables.

L'ONU et le couple

L'ONU (l'Organisation pour un Nous Uni) est une force extérieure qui vient médiatiser le conflit et tenter de réanimer le « nous » du couple afin qu'il retrouve son chemin. Cette aide est certes limitée, car elle ne peut pas ressusciter les couples noyés dans la *mer de l'Indifférence*, agonisant dans le *Mépris* ou la *Trahison* ou encore ceux qui sont perdus dans la *Toundra affective*. Lorsque les partenaires tiennent davantage à fréquenter ces lieux émotionnels qu'à voyager ensemble, il est difficile de les en sortir.

Que peut faire une aide extérieure lorsqu'il y a encore des signes de vie dans la relation ? Tout d'abord, elle doit immanquablement instaurer un cessez-le-feu. Cesser de recourir au *lancer du blâme* est nécessaire pour amorcer un dialogue. L'ONU doit permettre de reconnaître les parties présentes et instaurer un climat de validation des perceptions, en demandant au couple de quitter définitivement le *sentier entre T'as-tort et J'ai-raison* pour se réorienter vers les *terres de Reconnaissance*.

Le rôle essentiel du médiateur est de ramener le couple vers *l'aire de Respect,* de rebâtir les *ponts de la Confiance* par une saine communication et de lui permettre de découvrir ou de redécouvrir ses buts communs.

Vers les terres de Reconnaissance et l'aire de Respect

Traverser *l'aire de Respect,* les *plaines de Confiance* et le *mont des Buts-communs* est l'itinéraire proposé pour atteindre l'*Amour-durable*. Tout couple qui veut se dépasser doit d'abord revenir vers les *terres de Reconnaissance* et continuer sa route vers *l'aire de Respect*. Il n'aura d'autre choix que de faire face aux différences et d'accepter chacun tel qu'il est. De plus, certains conflits insolubles devront être assumés et les différences tolérées, dans une nouvelle répartition du pouvoir plus démocratique.

Nous avons de la difficulté à tolérer les différences et les inévitables zones de conflit en *Amour*. Plusieurs conflits sont d'ailleurs causés par la volonté de tout régler et l'intolérance face à la différence. Beaucoup de chaos provient de l'obsession pour l'ordre et le nivellement obsessif des contraires.

N'allons pas croire que les conflits sont tous inévitables et qu'un couple qui est dans la *jungle des Jeux-de-pouvoir* court nécessairement à sa perte. Comme mentionné précédemment, l'enjeu de cette étape est de reconnaître la saine différence et cela se fait parfois dans le conflit. Ce n'est donc pas le conflit qui est un signe de péril dans un couple, mais plutôt les tentatives de le fuir ou de l'éviter. Des visites sont donc à prévoir dans cette jungle tout au long de la relation. L'essentiel est de reconnaître qu'on ne changera pas l'autre. Notre pouvoir réside dans notre capacité à transformer notre relation avec l'autre, et non dans notre capacité de le changer. Une fois que nous renonçons à le faire, que nous reconnaissons notre part de responsabilité dans l'enlisement du couple, nous retrouvons aussi par le fait même le pouvoir de l'améliorer et de le sortir de la *jungle des Jeux-de-pouvoir*. Plutôt que d'aseptiser le conflit, le couple met le cap vers la *Reconnaissance* et reprend alors le chemin de *l'aire de Respect*.

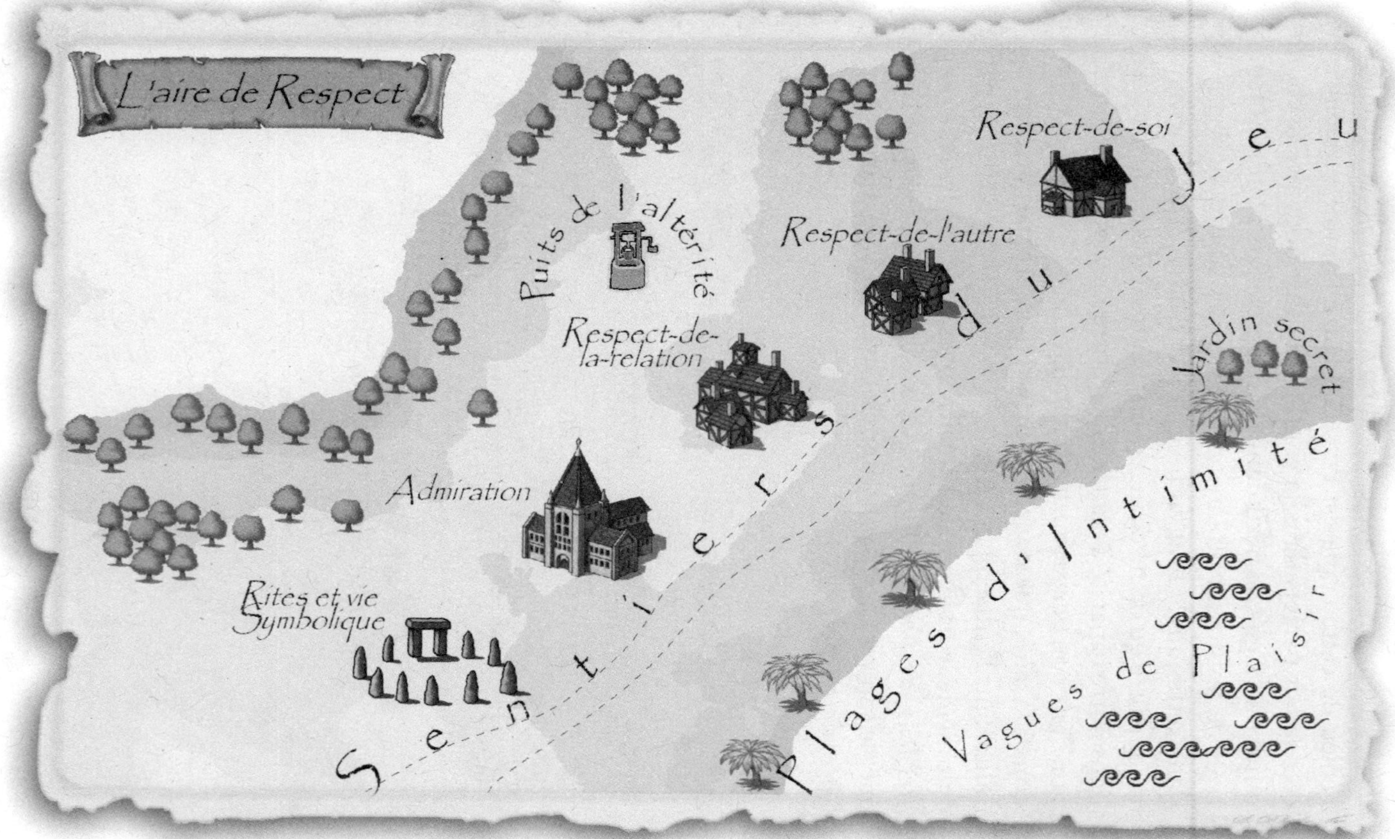

L'aire de Respect

Respect-de-soi

Respect-de-l'autre

Respect-de-l'altérité

Puits de l'altérité

Respect-de-la-relation

Admiration

Rites et vie Symbolique

Jardin secret

Plages Vagues de Plaisir

Mer de l'Intimité

L'aire de Respect

Il faut, pour le moins, être deux pour être humain.

HEGEL

Il est tellement entier que je l'aime au complet.

SYLVIE LALIBERTÉ

Après s'être épuisé dans la *jungle des Jeux-de-pouvoir*, le couple cherche naturellement des aires de repos. C'est dans l'*aire de Respect* et sur les *plages d'Intimité* qu'il est le plus à même de les trouver. L'étymologie du mot « respect » renvoie d'ailleurs au mot « répit ».

Le couple parvient au *Respect* lorsque les partenaires se reposent en présence de l'autre, qu'ils s'encouragent à cultiver leurs passions et leurs *champs d'Intérêts* et surtout, qu'ils cessent de vouloir se changer mutuellement. Être dans l'*aire de Respect* signifie reconnaître la culture différente de l'autre et accepter de la mélanger à la nôtre. Un passage dans l'*aire de Respect* suspend donc le jugement des différences.

Après plusieurs voyages infructueux dans le passé, j'ai enfin découvert dans ma relation actuelle cette *aire de Respect* pour ma nature introvertie et mon grand besoin de solitude. Dans le passé, ces aspects étaient jugés très sévèrement et considérés comme des actes de trahison, générant un sentiment d'abandon chez mes partenaires, qui menait tôt ou tard à la guerre.

Le *Respect* se traduit de mon côté par une curiosité devant les nombreuses heures que ma copine passe à écouter une chaîne de télé comme Canal Vie[19], par exemple. Autrefois, j'aurais jugé sévèrement cette propension à regarder assidûment des émissions traitant de bricolage, de soins corporels, de recettes ou de rénovation.

Ce passage dans le *Respect* me permet toutefois de développer mon type «sensation» alors que je suis plutôt de type «intuition[20]». Elle m'a ainsi fait découvrir de nouvelles dimensions pratiques de la vie à deux que je n'aurais probablement pas explorées sans elle.

De son côté, elle n'a jamais vraiment été attirée par les livres de psychologie populaire, mais elle respecte cet intérêt chez moi et découvre parfois certaines idées en les lisant. Ma copine comprend aussi mon besoin d'effectuer des quêtes et combats dans des jeux virtuels qui contrastent avec ma nature intellectuelle, un paradoxe dans ma personnalité qui causait autrefois de réels combats et des attitudes de mépris. Les paradoxes sont souvent mal tolérés en *Amour*.

Accepter les contradictions en soi et chez l'autre est l'une des clés d'un passage réussi dans le *Respect*. Pour y vivre avec notre partenaire, nous n'avons pas à partager tous ses intérêts mais à faire preuve de curiosité envers ceux-ci et respecter le mouvement de passion qui anime la culture des champs d'intérêt personnels. Par exemple, même si elle ne partage pas sa passion du hockey, Rachel est fascinée par l'éclat des yeux de Stéphane lorsqu'il parle des exploits de ses joueurs favoris.

---

19. Chaîne de télévision québécoise consacrée aux différents aspects de la vie quotidienne.
20. En référence à la typologie jungienne qui stipule que souvent les partenaires seront de fonctions et de types opposés: sensation-intuition, pensée-sentiment.

Les couples qui vivent dans le *Respect* agissent différemment de ceux qui vivent dans la *jungle des Jeux-de-pouvoir*. Ils n'essaient pas de changer les autres mais les acceptent tels qu'ils sont. Cela ne veut pas dire qu'ils acceptent tous les comportements de leur partenaire de voyage. Ils ont appris à changer la relation et à indiquer leurs limites.

Après l'insécurité et la barbarie de la *jungle des Jeux-de-pouvoir*, c'est dans le *Respect* que se posent les bases d'une relation renaissante. Si on se fie à la carte, le passage dans l'*aire de Respect* comprend trois étapes. Il y a d'abord un passage par le *Respect-de-soi*, où l'on cesse d'essayer de se changer pour être avec l'autre. Il y a aussi le *Respect-de-l'autre*, où l'on cesse de tenter de changer l'autre pour plutôt s'abreuver de sa différence au *puits de l'Altérité*. Puis il y a finalement le *Respect-de-la-relation*, où l'on reconnaît le côté sacré de la relation en fournissant un engagement sincère et volontaire. Cette route conduit à l'*Admiration*, aux *plages d'Intimité* et à l'établissement de rites, de rituels et d'une vie symbolique qui sacralisent la routine et la relation.

Voyager tel que l'on est en Respect-de-Soi

De nos jours, plusieurs personnes s'épuisent à essayer de changer pour plaire à l'autre, je l'ai souvent fait moi-même. Nous voyageons à crédit, au-dessus de nos moyens, en nous imposant toutes sortes de choses. Cette façon de faire crée nécessairement des « dettes de vérité » inconscientes, qui s'accumulent en nous. Au début, ce processus peut nous permettre de séduire et inciter l'autre à se rapprocher. Mais en poursuivant le voyage à crédit, nous nous imposons des valeurs et des comportements qui vont souvent à l'encontre de nos intérêts et font exploser notre « compte de banque psychique ».

C'est de cette façon que voyageait Gilbert, le conjoint échoué dans la *Trahison* et le *Mépris* qui déclara un jour à sa conjointe lors d'une séance: «Tu es stupide et tu ne me respectes jamais! Je me suis sacrifié totalement pendant plus de vingt ans pour toi!» Cette simple phrase résume à elle seule tout le défi du passage dans le *Respect*. D'abord, qu'est-ce qui a conduit Gilbert à tout sacrifier pour sa conjointe? L'a-t-il fait volontairement ou pour acheter quelque chose en retour? Qu'a-t-il fait de ses propres intérêts lorsqu'il vivait sa vie à elle? Comment satisfaisait-il son besoin de respect? Il blâmait sans cesse sa conjointe au lieu de recycler ses demandes en «je», ce qui les maintenait dans la *jungle des Jeux-de-pouvoir*. De plus, ses demandes étaient très vagues: il ne connaissait pas ses besoins et n'utilisait pas son intelligence émotionnelle parce qu'il n'arrivait pas à relier sa frustration à des demandes claires et réalistes.

L'*aire de Respect* n'est pas facile à atteindre, mais le premier pas pour s'y rendre est de cultiver un jardin secret, un univers à soi. Elle pose le défi de l'intégrité, soit d'intégrer en soi les différentes parties qui cherchent à s'exprimer et qui peuvent paraître opposées, comme nous l'avons vu avec l'ombre précédemment. Un passage en *Respect-de-soi* implique donc de rencontrer cet autre en nous et ses multiples besoins dont nous ignorons souvent la présence et qui nous semblent étrangers.

Nous tolérons mal la complexité de nos besoins et nos différences avec l'idéal de personnalité que nous cherchons à présenter. Le premier geste qui nous éloigne du *Respect-de-soi* est le jugement personnel. Nous devons arrêter de nous juger pour progresser dans le *Respect-de-soi* et enfin se reposer en présence de l'autre.

Le passage dans le *Respect-de-soi* ne conduit pas nécessairement à s'aimer totalement, comme le demande un certain idéal de perfection. Il conduit plutôt à se reconnaître le plus possible. Il est alors possible d'accepter qui nous sommes pour aimer véritablement et progresser vers le *Respect-de-l'autre*.

Un passage nécessaire en Respect-de-l'autre

Sur la carte, nous voyons que le *Respect* est très près des *terres de Reconnaissance*. Reconnaître signifie : connaître à nouveau, « re-connaître ». Nous ne pouvons respecter que ce que nous connaissons ou cherchons sincèrement à comprendre. Connaissons-nous bien notre partenaire de voyage après plusieurs années ? Souvent, nous avons de la difficulté à regarder vraiment la personne qui est en face de nous. Nous désirons inconsciemment la voir telle que nous l'avons connue, mais nous ne la « re-connaissons » pas et l'empêchons d'évoluer dans notre perception.

La personne qui voyage avec vous aujourd'hui n'est plus la même qu'au début de votre relation. Si vous la connaissez depuis plus de sept ans, elle a complètement renouvelé les cellules de son corps, possiblement renouvelé ses goûts et même parfois redéfini ses buts dans la vie, ce qui peut bien sûr être insécurisant...

Consacrer du temps en Respect-de-la-relation

Être en *Respect-de-la-relation* implique de consacrer du temps à la relation et de prendre soin du « nous ». Dans le mot *consacrer*, on retrouve justement le mot *sacré*. Les couples qui passent par le *Respect-de-la-relation* s'engagent à travailler pour redonner au couple son côté sacré, qui a pu se perdre en cours de route, particulièrement dans la *vallée du Quotidien*.

J'ai observé que ces couples vont s'engager à respecter la culture et l'histoire de la relation par de petits symboles et des rituels journaliers. Par exemple, ils sacralisent les anniversaires du couple, sa géographie (son lieu de rencontre), et les objets symboliques de la relation, qui ont perdu de l'importance lors du passage dans la *vallée du Quotidien*. Malheureusement, cette région est souvent désertée au profit d'une culture de l'intensité où le sacré a perdu de son importance. Aujourd'hui, par exemple, le mariage ressemble très souvent à une industrie. On dirait que les gens divorcent pour mieux faire rouler l'économie de notre société de consommation.

L'amour sacré

Pour que quelque chose soit sacré, il doit nécessairement y avoir une forme de sacrifice. « C'est ce qu'on perd pour l'autre qui le rend si précieux », mentionnait Saint-Exupéry. Nous craignons, parfois maladivement, de nous faire « avoir » en *Amour* ou d'être abandonnés, c'est ce qui révèle à mes yeux son côté sacré.

Je me souviens d'une femme qui me disait qu'elle devait accepter sa « maudite insécurité ». Cette exploratrice amoureuse cherchait l'*Amour* mais était en proie à une profonde insécurité lorsqu'elle quittait les *terres du Célibat*. Elle découvrait ainsi que l'*Amour* n'est pas un endroit banal. Elle le craignait comme certains craignent Dieu et sa « maudite » insécurité se devait d'être entendue et respectée.

Notre angoisse face à l'*Amour* met l'accent sur son côté sacré. Il y a une part inévitable de sacrifice pour aller en *Amour* et c'est peut-être justement celui d'assumer et de porter les émotions qui nous traversent.

Ce sacrifice doit être volontaire. Beaucoup de nos relations perdent leur côté sacré lorsque l'autre ne devient qu'un investissement pour notre bonheur personnel ou une façon de nous rassurer sur notre valeur.

À ce titre, l'un des blâmes les plus fréquents est justement celui du manque d'investissement. Il est intéressant de noter ici que le mot « blâme » a la même racine étymologique que le mot « blasphémer » et renvoie justement à l'idée de désacraliser.

Retrouver la source d'un blâme nous aide à découvrir des aspects intéressants de la personne qui le formule. Lorsque l'un des partenaires blâme le manque d'investissement, est-il en train de désacraliser la relation ? Le premier niveau de l'engagement est envers soi-même. Pouvons-nous nous engager à être en relation plutôt que de blâmer l'autre ? Si nous nous respectons vraiment et respectons nos valeurs, serons-nous intéressé à voyager avec quelqu'un qui est complètement désengagé ?

Le choix héroïque

Le grand Joseph Campbell a déjà dit qu'« un héros est celui qui sacrifie sa vie à quelque chose de plus grand que lui ». Je crois que cela s'applique à l'Aventure amoureuse. Ce sacrifice prend la forme d'un engagement libre et volontaire envers une personne et constitue l'un des indices que le couple a franchi avec succès l'*aire du Respect*. Comme je l'ai mentionné au début de notre exploration, dans les premiers moments d'une relation, c'est l'inconscient qui choisit le partenaire, mais ensuite, les partenaires choisissent consciemment de se dépasser l'un pour l'autre.

J'ai trouvé un modèle d'inspiration pour l'engagement libre et volontaire dans le parcours amoureux de Néo, dans la trilogie des films *La Matrice*. À un moment déterminant de son aventure, il se retrouve devant le grand architecte de la matrice qui le met devant un choix : sauver sa femme ou sauver le monde. Certes, sauver le monde apparaît comme un sacrifice noble, mais Néo choisit plutôt de sauver sa femme Trinity, contrairement aux héros célibataires habituels. Il fait le deuil de millions de possibilités pour n'en épouser qu'une seule. Sa cause, sa source de dépassement n'est donc pas un monde abstrait qu'il ne connaît pas, mais une personne, ce qui est de fait un choix fort héroïque.

Il propose ainsi une nouvelle voie d'incarnation de l'amour et de l'engagement sacré. Il est intéressant de constater que ce modèle de héros accompagné est de plus en plus présent dans la culture occidentale. Ce n'est pas par hasard que l'on se questionne actuellement sur le parcours amoureux de Jésus, qui a justement placé l'amour au cœur de son enseignement. L'avènement du *Code da Vinci* de Dan Brown, qui eut l'effet d'un raz-de-marée, ainsi que la découverte récente d'une tombe ayant possiblement contenu les ossements du Christ, de sa femme et de ses enfants, soulèvent avec raison la controverse. Cette découverte présente sous un jour nouveau la notion d'engagement et l'incarnation de l'amour dans la relation. D'une certaine façon, cette controverse remet en question les grands miracles comme marcher sur les eaux, changer l'eau en vin et les place presque au même niveau que le « miracle » de marcher longtemps main dans la main avec une personne, de se motiver à changer les couches d'un enfant, d'élever une famille et de demeurer toujours amoureux de la même personne...

Admiration

Le couple qui avance dans l'*aire de Respect* découvre l'*Admiration,* l'une des formes les plus poussées de *Respect*. Au début d'une relation, nous ressentons davantage de la fascination que de l'admiration pour une personne que nous ne connaissons pas encore.

La vraie admiration en *Amour* n'est pas basée sur des projections, mais sur l'être réel qui partage notre quotidien. Nous devons constamment nous rappeler que la personne qui partage notre vie dans l'intimité a quelque chose de particulier et d'unique, et non pas la voir comme étant facilement remplaçable et ainsi la désacraliser. Cette personne a eu son lot d'épreuves dans la vie et est à sa façon une gagnante.

L'admiration peut aussi se déplacer vers la relation elle-même. Avez-vous de l'admiration pour cette relation qui a survécu au temps, aux épreuves et aux rebondissements ? Pour souligner cette admiration vous pouvez créer un sanctuaire d'intimité.

Les plages d'Intimité et le Jardin secret

Les *plages d'Intimité* sont une aire protégée par le couple, un espace que même les enfants doivent respecter. Elles lui permettent de se consacrer à entretenir le plaisir (sous toutes ses formes) d'être en relation. Elles sont un lieu et un temps de détente où il est possible de pratiquer les rites et d'honorer les symboles propres à la relation.

Rachel et Stéphane ont par exemple un rituel de souper à la fondue suivi d'une sortie au cinéma, un vendredi soir de chaque mois. Dans cet espace-temps sacré qu'ils ont pris soin de bien délimiter, les enfants ne sont pas invités. L'étymologie du mot « intimité » renvoie d'ailleurs à la notion de délimitation.

Tout comme le *Respect*, l'*Intimité* commence d'abord avec soi, sa quête cache souvent une crainte d'être seul et un désir de fusion avec l'autre. En *Intimité,* il faut aussi des coins à soi pour pouvoir se reposer, comme par exemple le *Jardin secret,* qui se trouve tout près de ces plages.

Être en *Intimité,* c'est aussi être en relation avec le corps de l'autre. Dans nos Aventures amoureuses actuelles, nous ne cherchons souvent à fusionner que par la communication verbale. Nous valorisons cette forme d'intimité au détriment de la communication corporelle. Mais l'*Intimité* n'est pas faite que de mots, ceux-ci peuvent même parfois en bloquer l'accès. Ainsi, pour profiter pleinement des *plages d'Intimité,* après avoir bien délimité son *Jardin secret* et établi un rapprochement par les mots, nous pouvons laisser le corps nous guider vers les *vagues de Plaisir.*

Les vagues de Plaisir

Au début du voyage, sur les *plages du Sexe,* en *Amour-naissant,* c'est bien souvent une intimité anonyme que nous vivons.

Les *plages d'Intimité,* en revanche, sont un lieu où la sexualité atteint un niveau supérieur, où les amants sont davantage unifiés. Dans l'intimité réelle, nous sommes confrontés au mystère et à l'altérité de notre partenaire, ce qui peut causer de la surprise. Mais au lieu d'y réagir par la peur et le contrôle et de lutter, nous y découvrons le plaisir de plonger et de se baigner dans l'inconnu et l'imprévisible.

Pour sortir de leurs rôles et symboliser cet espace, Ariane et Vincent ont exploré un nouveau jeu dans leur intimité. Ils séparent leur lit en deux au moyen d'une ligne, et s'interdisent formellement de la traverser. Ils peuvent faire ce qu'ils désirent chacun de leur côté du lit, tenter de séduire l'autre par des mots, des gestes ou des attitudes excitantes, mais le mot d'ordre est de ne pas traverser et surtout, de ne pas juger ce que l'autre fait de son côté. Ils acceptent donc, l'espace d'un jeu, d'être face à un partenaire qui peut être fort différent de ce qu'ils imaginaient…

Sans être une recette miracle, la création de cet espace engendre parfois des rapprochements sexuels chez ce couple qui a plutôt l'habitude de désexualiser ses contacts par des câlins affectueux et amicaux. En effet, comment peuvent-ils se rapprocher s'ils sont continuellement collés l'un à l'autre et qu'il n'y a aucun espace entre eux à combler ?

Nous désirons l'autre lorsque nous le laissons être différent de nous, lorsqu'il incarne ce que nous ne sommes pas. Le désir s'allume bien souvent lorsque nous redécouvrons notre partenaire à travers ses passions et son univers particulier. Pour préserver les *plages d'Intimité,* il faut donc des rapprochements verbaux et corporels, mais aussi de l'espace pour la différence de l'autre et son mystère. Comme l'écrit si bien Esther Perel: « Là où il n'y a plus rien à cacher, il n'y a plus rien à chercher[21]... »

Le puits de l'Altérité

Être dans l'*aire de Respect,* comme je l'ai mentionné précédemment, c'est se reposer en présence de l'autre. Nous habitons le *Respect* lorsque nous arrivons non seulement à nous reposer, mais aussi à nous abreuver à la différence de notre partenaire. « Si tu diffères de moi mon frère, loin de me léser tu m'enrichis », écrit Saint-Exupéry.

Ainsi, l'un des paradoxes du respect est que lorsque l'on cesse de vouloir changer pour l'autre, on se transforme naturellement en sa présence. « Altérité » et « altération » sont des mots voisins. Aller en *Amour,* c'est donc avoir confiance que nous serons altéré par l'autre – comme nous serions transformé par un voyage. C'est accepter, pour faire un jeu de mots, d'être désaltéré par l'altérité en toute confiance. Contrairement au puits sans fond et asséché de *l'île de la Dépendance,* le *puits de l'Altérité* est une source inépuisable qui désaltère véritablement.

Nous mourons de soif dans nos relations lorsque nous perdons cette capacité à nous désaltérer au contact de l'autre. Si nous ne pouvons pas accepter que l'autre soit différent de nous, nous ne pouvons pas non plus le voir comme différent des autres. C'est peut-être ainsi qu'il perd sa valeur unique et devient facilement remplaçable.

Un « nous » qui guide le nous

Ariane et Vincent ont développé un autre jeu qui leur rappelle constamment la complémentarité de leurs différences. Ils se

---

21. *L'intelligence érotique: Faire vivre ses désirs,* p. 78.

sont inventé un «coach» de couple, qui agit comme un médiateur et qui va ponctuellement mettre à jour les conflits. Maintenant, lorsqu'ils se trouvent dans un cul-de-sac, ils se demandent: «Que dirait-il s'il nous voyait dans cet état? Que nous suggérerait-il?»

Nous pouvons faire comme eux et mandater une instance imaginaire pour nous observer et vérifier si nous sommes dans la même équipe. Avoir quelqu'un au-dessus de nous qui nous conseille permet de moins s'accrocher l'un à l'autre...

Un passage dans l'*aire de Respect* développe la conscience que quelque chose de plus grand que nos deux identités nous transcende et nous pousse à nous dépasser ensemble. Contrairement à la *jungle des Jeux-de-pouvoir*, l'*aire de Respect* nous incite à cultiver ce qu'il y a de meilleur en nous. C'est d'ailleurs peut-être le plus beau compliment à faire à quelqu'un que de lui dire: «Depuis que je voyage avec toi, j'ai envie d'être une meilleure personne.»

Une fois dans le *Respect,* nous découvrons une nouvelle dimension à l'Aventure amoureuse. De touristes ou de conquérants, nous devenons pèlerins. Nous réalisons alors que nous ne sommes pas les premiers à fréquenter l'*Amour* et trouvons des repères. Tout comme l'oie blanche ou le manchot empereur arrivent à retrouver leur chemin à chaque migration amoureuse, notre âme se souvient de la route à suivre pour aimer. C'est alors une invitation à laisser ce «nous» qui nous transcende guider nos pas dans cette aventure et à reprendre nos forces avant de relever le défi des *plaines de Confiance...*

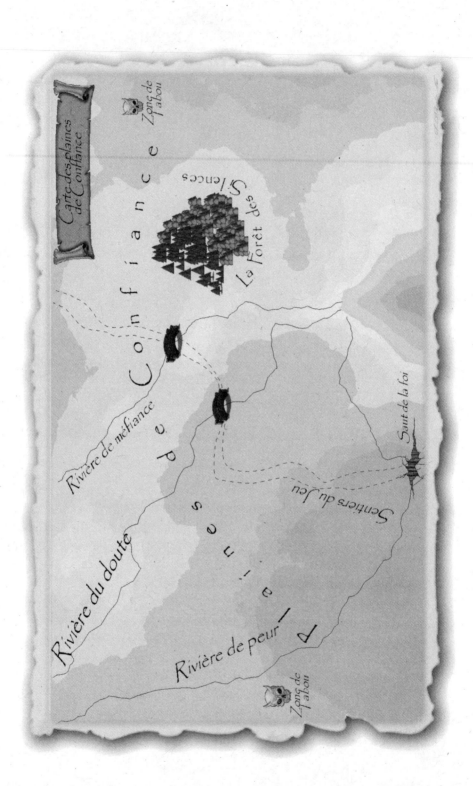

Les plaines de Confiance

L'indépendance, c'est comme un pont :
avant, personne n'en veut,
après, tout le monde le prend.

FÉLIX LECLERC

Nous sommes les relais de l'humanité. Chaque personne
se trouve à la fin de l'une et au début d'une autre.

ROBERT JASMIN

Au cours de sa progression vers l'*Amour-durable*, le couple doit nécessairement affronter le courant des *rivières du Doute, de Méfiance* et *de Peur* dans *les plaines de Confiance*. Celles-ci emportent chaque année plusieurs expéditions amoureuses vers la *jungle des Jeux-de-pouvoir*, l'*océan de Rencontres* ou encore la *mer de l'Indifférence*. Elles ont d'ailleurs emporté plusieurs de mes relations dans le passé, mais aujourd'hui, j'ai appris à construire de meilleurs ponts de communication pour les enjamber.

Les ponts de communication des plaines de Confiance

Comment savons-nous que nous sommes arrivés sur les *plaines de Confiance* ? Essentiellement, nous y sommes lorsque nous n'avons pas de crainte de communiquer avec l'autre. Le mot « confiance » renvoie d'ailleurs à l'idée de se fier et de se confier. Lorsque nous sentons que nous pouvons presque tout dire à l'autre, nous sommes sur les *plaines de Confiance*. Mais aussitôt qu'un climat de terreur s'installe dans la relation et qu'un mode de censure se met en place, nous les quittons.

En *Confiance*, nous avons droit à notre *Jardin secret*. Ceux qui sont en *Confiance* communiquent librement et font la différence entre ce qui doit être abordé par le biais des *ponts de communication* et ce qui doit être gardé pour soi dans le *Jardin secret*. Pour être en *Confiance*, on doit construire des ponts pour formuler des demandes et d'autres pour exprimer ses émotions et se connecter à l'autre. Ne dit-on pas d'ailleurs que nous coupons les ponts lorsque nous nous éloignons d'une personne en laquelle nous avons perdu confiance ?

Lors d'une communication, nous sommes responsables de construire notre partie de pont, tout en laissant la liberté à l'autre de le rejoindre ou non. Si notre pont ne peut pas rejoindre celui de l'autre, ou qu'il n'y a pas de réponse de sa part, nous devons trouver d'autres chemins pour arriver jusqu'à lui ou répondre nous-même à notre demande. L'autre n'est pas obligé d'être disponible chaque fois que nous le désirons. Il arrive souvent que nos demandes ou l'expression de nos émotions ne trouvent pas de connexion de l'autre côté de la relation. Bien des ponts ne se rencontrent pas – l'autre n'est pas là pour répondre à tous nos besoins. Lorsqu'il refuse une demande, il ne refuse pas la personne qui la fait, mais bien un passage. Il dit en quelque sorte : « Je veux bien voyager avec toi, mais je n'ai pas envie de passer par là. » Il faut alors réorienter la communication et trouver un lieu de rencontre plus approprié.

La conscience de soi et la souplesse sont donc de mise dans l'établissement de nos ponts. Les ponts trop rigides, basés sur de vieilles ou de fausses croyances, risquent de s'effondrer facilement ou de ne jamais être rejoints. Varier nos façons de communiquer, revoir et confronter nos croyances permet alors d'engendrer de grands changements.

Pour y arriver, observer la façon dont sont construits les messages que nous envoyons peut se révéler fort utile. Par exemple, lorsque Ariane formule ses demandes, elle commence toujours par interpeller Vincent : « Tu veux faire quoi aujourd'hui ? Tu veux aller au cinéma ? Tu veux aller faire du patin ? Tu veux aller en vélo ? », ce qui finit par exaspérer Vincent.

Cette façon de faire, banale en apparence, traduit un profond manque de confiance et de conscience de soi chez Ariane. Elle entretient secrètement la croyance qu'elle a peu à offrir et c'est pourquoi elle s'informe d'abord de l'opinion de l'autre lorsqu'elle communique, comme si elle n'était pas connectée à elle-même. Elle utilise des moyens détournés pour faire passer ses messages. Demander à Vincent s'il veut aller au cinéma est une façon pour elle de lui dire : « Je voudrais passer du temps avec toi » et « J'ai envie de me distraire devant un bon film », mais aussi, de façon plus subtile, « Je voudrais que tu aies envie de passer du temps avec moi ». C'est ce pont caché, cette requête souterraine qui contribue en partie à l'étouffement de Vincent, qui se sent piégé chaque fois qu'il ne peut satisfaire ses attentes.

Avoir envie d'aller au cinéma, c'est un besoin qui relève d'Ariane, alors que passer du temps avec l'autre, c'est un pont destiné à Vincent, qu'il est libre de rejoindre ou non. En fait, il faut construire nos ponts vers le ciel, car nous n'avons pas de pouvoir sur les désirs des autres.

Malheureusement, beaucoup de nos demandes sont sous-jacentes ou irréalisables pour les autres. Il faut alors se tourner vers soi et développer d'abord le goût de faire des activités en solitaire.

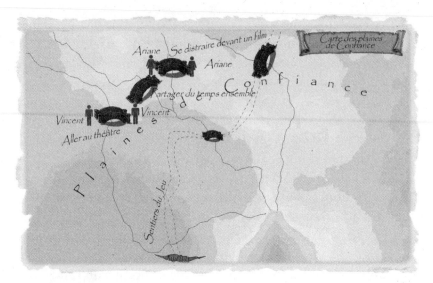

(Ariane et Vincent, construisant leurs ponts de communication. Le besoin de passer du temps ensemble est commun aux deux, alors que le désir d'aller au cinéma ou au théâtre est propre à chacun.)

La solidité de nos ponts de communication ne tient pas à la rigidité mais à la souplesse, ils doivent pouvoir bouger au gré du vent et affronter de multiples intempéries. De la même façon, une communication souple peut permettre de faire face aux imprévus et de développer la véritable résilience du couple.

Les ponts de communication peuvent prendre diverses formes dans la relation. Certaines personnes vont malheureusement avoir recours à un tissu de mensonge pour construire leurs ponts de communication et ceux-ci ne peuvent tenir bien longtemps. Pour que nos demandes et nos émotions aient plus de chances d'être bien reçues, en plus de la responsabilisation par le « je », l'empathie et la sincérité sont des éléments essentiels à considérer.

Traverser de l'autre côté par empathie

Si nous construisons la moitié d'un pont sans consulter les architectes qui en construisent l'autre moitié, nous aurons de fortes probabilités de nous retrouver dans le vide plutôt que de trouver une connexion. Ainsi, nous devons être attentif au point de vue de l'autre lorsque nous créons nos ponts de communication. La capacité, communément appelée empathie, d'aller au-delà de notre point de vue pour découvrir celui de l'autre, est essentielle pour communiquer.

Les multiples questions que posait Ariane à Vincent, par exemple, pourraient être qualifiées de fausse empathie, basée sur son insécurité. Elle y avait recours parce qu'elle ne portait pas attention à son propre point de vue, à ses goûts et à ses besoins pour ne se fier qu'à l'autre. Il n'y avait pas de réception possible de son côté puisqu'elle n'avait pas d'opinion à elle.

Lorsque Ariane a pris davantage conscience d'elle-même, elle a été plus en mesure de comprendre réellement le point de vue de Vincent. En étant plus consciente de ses propres besoins, elle a pu chercher à comprendre les besoins de Vincent sans les juger, en répondant positivement lorsque c'était possible et en proposant d'autres chemins lorsqu'il était impossible pour lui de la rejoindre.

L'empathie nécessite une bonne conscience de soi et ne doit pas exclure ce que nous sommes, mais plutôt nous permettre de mettre entre parenthèses notre point de vue pour comprendre celui de l'autre.

Des ponts sans cire

Il va sans dire que la communication doit être la plus sincère possible si l'on veut espérer avoir une réponse de l'autre côté. Le mot «sincère» est très intéressant. Autrefois, les artistes et les menuisiers se servaient de la cire pour cacher les imperfections des statues ou des constructions. Cette pratique, qui date du Moyen Âge, nous a donné le mot « sincère » qui désignait alors un objet sans cire.

Une communication sincère ne contient donc pas de « cire ». Elle ne visera pas à masquer les imperfections ou à cacher quelque chose. Lorsque nous avons peur de dire quelque chose à notre partenaire et que nous mettons de la « cire » sur nos ponts de communication, nous manquons de sincérité. La communication peut alors devenir très glissante ou notre pont peut s'effondrer dans les *rivières du Doute, de la Méfiance* ou *de la Peur*.

Lorsque nous avons peur de communiquer avec la personne qui est censée être la plus proche de nous, il y a un problème majeur dans la relation. Celui-ci doit être examiné en priorité pour permettre au couple d'avancer, autrement cette peur deviendra un tabou dans la communication.

Les zones de tabou

Ce n'est jamais par hasard que nous évitons de parler de certains sujets. Les tabous de la relation sont bien souvent des thèmes essentiels. Le mot anglais *taboo* vient du polynésien *tapu* qui signifie à la fois « interdit » et « sacré », c'est le grand explorateur James Cook qui a fait connaître ce mot, après ses expéditions dans les îles polynésiennes.

Un tabou, dans un couple, est un sujet qui est évité mais qui doit être nécessairement abordé pour que celui-ci continue à avancer. Autrement, les tabous non reconnus hanteront la relation, ce qui causera parfois des détours périlleux dans la communication.

Ariane, lorsqu'elle était inquiète de la relation entre Vincent et Léa, espionnait les courriels de celui-ci en sachant très bien qu'elle enfreignait les règles de communication du couple. L'espionnage est une pratique courante en temps de guerre, mais dans les *plaines de Confiance,* il est de mise d'aborder les problèmes de face. Vincent lui, plutôt que d'aborder ses problèmes, fuyait vers une autre personne. En étant tous deux dominés par la peur et en contournant continuellement le sujet, ils ont créé un terrifiant tabou de couple...

L'un des tabous les plus importants dans nos Aventures amoureuses est le désir que nous pouvons éprouver pour d'autres personnes. Si nous avions plus d'espace pour en parler, peut-être serions-nous libérés de son emprise...

Faire preuve de sincérité, c'est pouvoir aborder ce tabou lorsqu'il se présente dans le couple, sans nécessairement passer à l'acte. Dans bien des cas, lorsque les partenaires se donnent le droit de parler de leur désir pour d'autres personnes, cela leur permet de revenir en *Confiance*. La vérité et la sincérité sont parfois de puissants aphrodisiaques...

Aborder ce tabou nous rappelle aussi qu'en voyageant avec l'autre, même dans les *plaines de Confiance*, il ne nous est jamais acquis. Même en *Confiance*, il peut couler quelque part une *rivière du Doute* ou *de la Peur*, l'important est de savoir se servir de l'énergie qu'elle génère.

Entre l'excitation et la peur

Il existe un lien entre la peur et l'excitation sexuelle. Dans une étude menée par des psychologues[22], des hommes étaient emmenés sur un pont qui vacillait au-dessus d'une rivière. Une fois au centre, ils étaient interviewés par une femme. Dans un groupe contrôle formé d'autres hommes, cette femme interviewait les sujets hors du pont. Cette recherche a démontré que les hommes qui ont été interrogés sur le pont cherchaient davantage, à la suite de cette entrevue, à recontacter la femme qui les avait interrogés que ceux dans le groupe contrôle, indépendamment s'ils étaient engagés ou non.

---

22. *Et si le Bonheur vous tombait dessus*, Daniel Todd Gilbert, p. 72.

Cette recherche permet de démontrer que le cerveau ne fait pas toujours la différence entre l'excitation sexuelle et la peur, et que celles-ci sont même intimement reliées. Les situations où des amants ont peur de se faire attraper sont d'ailleurs un bon exemple d'association entre le désir sexuel et la peur.

Toutefois, cette opération est délicate. Entre la peur qui inhibe et la peur qui active, il y a une mince ligne. Lorsque le flot de peur est trop grand ou trop faible, nous ne pouvons en tirer aucune énergie. Il faut alors apprendre à faire face et à utiliser efficacement les courants des *rivières du Doute* et *de la Peur*, pour retrouver notre énergie vitale et sexuelle.

Pour apprivoiser leur peur, Ariane et Vincent ont décidé de parler ouvertement du désir qu'ils pourraient avoir pour d'autres personnes. Lorsqu'ils circulent sur la rue et qu'ils voient des personnes attirantes, ils ne cachent plus leur désir et se servent au contraire de ces fantasmes pour agrémenter leur intimité sexuelle.

La passion est intimement liée à la capacité de tolérer la tension de l'incertitude. Être en *Confiance*, c'est donc accepter de vivre près des *rivières du Doute* et *de la Peur*, et qu'elles puissent même être associées à une recrudescence du désir sexuel. Savoir les utiliser, au lieu d'en faire des tabous, et y construire des barrages hydroélectriques peut alors fournir parfois un peu d'électricité pour le couple...

Recevoir l'autre

Un autre des défis à relever avec la construction de ponts de communication est de recevoir l'autre avec ses demandes, même si celles-ci nous dérangent. Nous avons tous des théories sur l'*Amour* et sur notre partenaire de voyage amoureux (par exemple, Ariane croyait que si Vincent l'aimait vraiment, il ne désirerait personne d'autre. Cette théorie a été mise à rude épreuve et Ariane a dû revoir ses positions sur le sujet). Ces théories sont certes parfois très utiles pour comprendre le monde et l'autre, mais plusieurs d'entre elles ont à mon sens contribué à éloigner les gens plutôt qu'à les réunir. En abordant l'*Amour* uniquement à la lumière de ces théories, nous risquons de ne pas voir les ponts que nous offre l'autre.

Les théories sur l'*Amour* nous rendent parfois aveugles aux efforts, souvent maladroits, de ceux qui essaient de nous rejoindre et nous aiment comme ils peuvent. Il faut alors beaucoup d'imagination pour reconnaître les preuves d'amour d'une personne et ses tentatives de connecter avec nous. La maturité nous permet, entre autres, de recevoir de l'autre l'amour, même imparfait, qu'il nous offre. Cette maturité nous permet aussi de nous libérer des vieux fantasmes de l'enfance, où nous étions en connexion directe avec le *continent Maternel*, et que nous n'avions aucun pont à construire pour communiquer, sauf celui de pousser un cri de temps en temps. Il est difficile de renoncer à ce fantasme de connexion magique avec l'autre, d'autant plus que nous l'avions retrouvé en partie en *Amour-naissant*.

Les sentinelles de protection

Nous avons vu qu'un passage dans le *Respect* implique d'accepter son partenaire de voyage tel qu'il est. Or, certains comportements de l'autre peuvent être littéralement dangereux et destructeurs. Songez par exemple à un partenaire de voyage qui irait acheter de la drogue à un trafiquant dans une ville inconnue. Bien qu'il puisse mettre du piquant dans votre voyage, ce genre de comportement ne doit aucunement être toléré si vous voulez être en *Confiance*. Il y a tout de même des limites à faire de l'électricité avec la peur…

Communiquer, c'est donc aussi indiquer ses limites. Celles-ci prennent la forme de demandes visant à modifier chez l'autre un comportement et non à espérer changer ce qu'il est fondamentalement. La peur de perdre l'autre nous pousse parfois à accepter des communications ou des demandes impossibles. Être en *Confiance*, c'est aussi se donner la liberté de refuser des passages. C'est placer des sentinelles à l'entrée de nos ponts pour se protéger et filtrer les demandes.

Sans être mal intentionné, l'autre peut parfois vouloir nous faire porter ses bagages ou un contenu émotionnel qui n'appartient qu'à lui, comme la colère, par exemple. Ainsi, Ariane pourra dire à Vincent : « Ta colère, je la vois, mais ne la prends pas. Cette colère ne passe pas ici. Je la laisse de ton côté du pont. »

Le sentier du Jeu et la forêt des Silences

Vous avez probablement remarqué sur la carte que le *sentier du Jeu* s'est divisé depuis les *terres de Reconnaissance*. Cela indique l'importance de l'autonomie et de la différence entre les partenaires. Lorsqu'il est en *Confiance,* le couple ne craint pas l'espace qui peut exister entre les partenaires.

C'est aussi pour indiquer que la communication doit aussi être une communion à deux. Malheureusement, les partenaires, lorsqu'ils voyagent longtemps ensemble, en arrivent souvent à seulement « s'informer » l'un de l'autre au lieu de communiquer l'un avec l'autre, ce qui nourrit davantage le sentiment d'isolement. Informer, c'est donner de l'information, mais communiquer c'est mettre en commun ses expériences, ses pensées et ses sentiments et même partager le silence.

Fréquenter la *forêt des Silences* peut parfois enrichir la relation. Malheureusement, dans notre société, où l'intensité occupe une place importante, nous avons tendance à déboiser facilement cette forêt. Un couple qui mange en silence dans un restaurant, par exemple, est souvent mal vu…

Saut de la foi

Le saut de la Foi

Nous entretenons parfois beaucoup de faux espoirs à propos de la communication. De nos jours les moyens de communications sont multiples, mais nous ne sommes pas en *Confiance* pour autant. Contrairement à la croyance populaire, les ponts de communication, même s'ils sont très utiles, ne règlent pas tous les problèmes du couple. Certains doutes sont difficiles à accepter et certaines de nos différences insurmontables. Il ne sert à rien de tenter de construire des ponts sur l'océan et certaines tensions sont insolubles. Dans ces situations, il ne nous reste plus qu'à nous tourner vers la foi, qui est un niveau supérieur de confiance. Prenez, pour illustrer mon propos, la scène du film *Indiana Jones et la dernière croisade*, où le personnage principal doit traverser un gouffre apparemment infranchissable, afin de se rendre de l'autre côté d'une falaise. Or, le pont qu'il doit utiliser est invisible. Il doit se laisser aller, se faire entièrement confiance et poser le pied dans le vide pour s'appuyer sur celui-ci. Cette étape est d'ailleurs la dernière lui permettant d'atteindre le Graal. Il en va de même pour les voyageurs qui s'approchent enfin de l'*Amour-durable.* Ils doivent parfois poser un pied dans le vide pour avancer ensemble vers l'étape ultime de l'engagement: l'ascension du *mont des Buts-communs.*

Mont des Burs-communs

Le mont des Buts-communs

L'amour, ce n'est pas se regarder l'un l'autre.
C'est regarder ensemble dans la même direction.

SAINT-EXUPÉRY

On se demande parfois si la vie a un sens...
et puis on rencontre des êtres qui donnent un sens à la vie.

BRASSAÏ

J'ai longtemps cru, à tort, que le fait de m'installer dans une relation amoureuse durable m'empêcherait de créer. J'ai alors évité l'engagement amoureux et n'ai voulu concevoir que des enfants de papier: mes livres. Je trouvais suffisant d'être tiré de mon sommeil par des bouts de phrases, alors que j'étais dans un projet d'écriture.

À ma grande surprise, ma présente relation a exacerbé ma créativité et m'a poussé à écrire ce livre pour développer l'idée amusante des cartes amoureuses, et ce, même si je suis mainte-nant bien loin de mon ancienne et sécurisante *terre du Célibat*. Je me souviens encore du premier déjeuner avec ma compagne, au Café du Monde, à Québec. Derrière elle se trouvait une immense carte, signe précurseur de la création de ce livre, sur laquelle j'imaginais et projetais toutes les destinations à explorer avec elle.

Cette relation a provoqué une grande révolution dans ma vie en me faisant entrevoir, dès le premier réveil, l'image d'une enfant de sexe féminin, qui m'est apparue très clairement. Elle ressemblait à la petite fille d'une publicité de yogourt de l'époque et était pour moi un signe clair de ce qui se dessinait dans cette relation : une nouvelle destination.

Puis, les échos culturels sont venus peu à peu renforcer cette vision. Je pense ici à une chanson du groupe Mes aïeux, *Dégénération,* que m'a fait découvrir ma compagne et qui a renforcé ce projet. Elle m'a aussi fait découvrir l'excellent conteur Fred Pellerin, qui incarne aussi les valeurs traditionnelles de la famille. Ces découvertes et ces rencontres ont fait écho symboliquement à des valeurs que j'avais étouffées dans mon mode de vie individualiste.

Ainsi, après l'*aire de Respect* et les *plaines de Confiance,* j'ai découvert, au fil de mes expériences et des témoignages reçus, l'importance des *Buts communs* dans l'Aventure amoureuse. Tout comme le sommet de certaines montagnes doit s'atteindre en rappel, l'ascension du *mont des Buts-communs,* pour se rendre en *Amour-durable,* doit se faire en équipe.

L'ascension du mont des Buts-communs

Après être tombé en *Amour,* il faut savoir se relever. J'aime beaucoup cette métaphore. C'est un peu comme si nous étions des anges avec une seule aile, et que nous avions besoin de l'aile d'un autre ange pour nous élever. Elle prend tout son sens avec l'ascension du *mont des Buts-communs.*

La poursuite d'un *But commun* donne un sens, une direction au couple qui veut s'élever. Nous préparons des projets communs après avoir appris à découvrir ensemble notre *ciel des Désirs* et à nous orienter par rapport à celui-ci.

Toutefois, les désirs et les buts diffèrent d'un couple à l'autre. Tous les couples ne désirent pas nécessairement élever des enfants, par exemple. Tout projet créateur visant le dépassement des partenaires peut symboliser le *mont des Buts-communs*, qui permet au couple de s'élever au-dessus des individus.

Fabien et Philippe, un couple d'homosexuels maintenant retraités, avaient pour projet d'ouvrir une maison d'hôtes qui serait en même temps une galerie d'art. Toute leur vie, ils avaient cherché à unir leurs différents champs d'intérêts – Fabien aime cuisiner et Philippe est artiste peintre. La création de cette maison a été l'aboutissement d'un long parcours parsemé d'obstacles, mais elle a donné un sens à leur relation tout en leur permettant de vivre leurs passions.

Dans le cadre de mon travail, je demande parfois aux gens d'identifier des modèles qui ont pu inspirer leur couple, dans leur entourage ou dans la culture. Le modèle qui a inspiré le parcours de Fabien et Philippe est le couple de David et Keith dans la majestueuse série télévisée *Six pieds sous terre* – l'une des meilleures séries sur les relations produites par les Américains –, qui met en scène plusieurs types de couples, dont un couple d'homosexuels. Après de nombreuses années passées dans la *jungle des Jeux-de-pouvoir*, David et Keith ont adopté deux enfants, non sans quelques difficultés, ce qui les a amenés à dépasser cette étape et leur a permis de cultiver ensemble un *Amour-durable*.

Philippe et Fabien, quant à eux, tendaient aussi vers un seul et même but lors de la création de leur maison d'hôtes : auparavant, Philippe passait de nombreuses heures derrière son chevalet et Fabien avec ses chaudrons. Ce projet les a réunis et leur a permis de transcender leur couple, sans avoir à se soucier des conflits rencontrés, comme leur modèle de la série. Finalement, au lieu d'habiter la *jungle des Jeux-de-pouvoir*, ils ont développé le pouvoir de jouer en équipe, au sommet de leur nouvelle maison d'hôtes et de la galerie d'art adjacente.

Rêver mieux ensemble

Comme l'écrivait Dansereau : « Toutes nos faillites sont des faillites de l'imagination. » C'est bien connu, nous avons du mal à rêver ensemble en *Amour* et à poursuivre en équipe des buts communs. Pour escalader le *mont des Buts-communs,* il faut nécessairement cultiver l'imagination. Le mot « imagination » provient du grec *phantasia* qui tire son nom de *phôs,* qui signifie « lumière ». Avoir de l'imagination, c'est donc chercher une nouvelle façon de voir lorsque tout est obscur ou que nous manquons de perspective. C'est s'élever, afin d'adopter un autre point de vue, grâce à un but commun.

Nos opinions sur l'*Amour* sont souvent très rigides, voire individualistes. Nous empruntons presque toujours les mêmes chemins et osons difficilement quitter les sentiers battus et porter attention au point de vue de l'autre. De surcroît, plusieurs d'entre nous sommes conditionnés à échouer dans notre quête de l'*Amour* depuis notre tendre enfance. Nous avons appris à être terrorisés par l'*Amour,* on nous a dit qu'il fait mal et qu'il vaut mieux penser à soi, se concentrer sur son petit bonheur personnel et vivre dans le moment présent.

Penser à soi et vivre dans le moment présent sont des notions très importantes et fort à la mode aujourd'hui. Mais si l'on n'a pas la capacité d'imaginer des buts communs et de se projeter dans le futur, il sera difficile de créer une relation durable avec quelqu'un d'autre.

La partie du cerveau responsable de la planification, de l'imagination et de l'anticipation est située dans le lobe frontal. Le cerveau des animaux en est dépourvu, c'est pourquoi ceux-ci sont prisonniers du moment présent. C'est le lobe frontal, l'un des acquis les plus récents de notre cerveau, qui nous donne le pouvoir d'imaginer, mais aussi d'anticiper parfois anxieusement l'avenir.

Anticiper et imaginer sainement l'avenir sont de véritables tours de force. Il ne faut pas non plus perdre notre capacité de vivre pleinement le moment présent, mais plutôt trouver un équilibre. Si nous nous concentrons uniquement sur le moment présent, nous risquons d'atrophier nos facultés d'imagination. Sans une bonne et saine capacité d'imaginer, nous sommes à la merci des caprices du cerveau reptilien, qui nous emprisonne dans le présent. Nous constatons malheureusement, en regardant certains couples, que c'est trop souvent le cas.

Voir loin dans l'avenir

Lorsque les premiers explorateurs, comme Jean-François La Pérouse, ont découvert les îles du Pacifique, les indigènes qui y vivaient n'avaient jamais vu de navires de leur vie. Lorsque les Européens sont arrivés, les indigènes ont aperçu au loin des formes qu'ils prenaient pour des oiseaux ou des moustiques parce qu'ils n'avaient aucune représentation mentale de navires. De plus, comme ils vivaient depuis des milliers d'années sur ces îles, ils ne savaient pas comment évaluer la distance qui les séparait de ces formes. Ils étaient incapables d'imaginer que les bateaux puissent être aussi gros que des maisons, puisque ceux-ci restaient ancrés au large. Du point de vue des indigènes, ils étaient minuscules. Ils ne pouvaient pas imaginer qu'une centaine d'humains soient à leur bord.

Nous pouvons faire le parallèle avec notre perception du temps, particulièrement lorsqu'il nous faut voir loin dans l'Aventure amoureuse. Nous avons tendance à avoir une vision déformée de l'avenir, comme les indigènes du Pacifique avec les navires. Comme nous n'avons pas de représentation des événements à venir, lorsque nous tentons de les imaginer, nous avons tendance à faire de graves erreurs de perception.

Lorsque vient le temps de visualiser et de réaliser tout projet commun en couple, un ajustement réaliste est donc nécessaire entre le projet tel que nous l'imaginons et sa réalisation.

De la même façon, lorsque vient le temps de choisir un partenaire amoureux, tout comme les autochtones devant les navires, nous accentuons les qualités et défauts de notre partenaire en fonction de la distance, dans le temps et l'espace, qui nous sépare de lui. Par exemple, une femme qui n'a pas vu son conjoint violent depuis longtemps pourra être victime d'une « illusion d'optique » et vouloir recommencer à le fréquenter.

Pour être en mesure de voir loin dans l'avenir et d'imaginer ensemble des buts communs, il faut partager les mêmes valeurs, ce qui permet de trouver un point focal précis et ainsi de corriger notre myopie amoureuse…

Partager des valeurs communes

Le projet de vivre ensemble se construit sur des valeurs similaires ou rapprochées. En allant en *Amour*, on se heurte souvent davantage aux différentes façons d'incarner les valeurs que sur les valeurs elles-mêmes. On se dispute plus au sujet du chemin à prendre que sur la destination, qui, elle, fait souvent l'objet d'un consensus. La liberté par exemple, est recherchée par la plupart des couples. Elle signifie pourtant quelque chose de différent pour chaque personne. Il faut revenir à la base du couple pour s'entendre sur des valeurs communes à partager et laisser à chacun de la latitude pour les mettre en pratique.

Les partenaires peuvent alors aller dans la même direction, même s'ils prennent des chemins différents pour arriver à leurs buts, comme la voie qui se sépare en deux avant d'arriver à la montagne. Ces différents chemins nous font voir de nouveaux sentiers que nous n'aurions peut-être jamais découverts sans l'autre, d'où la richesse d'un voyage à deux.

Malheureusement, beaucoup de gens se croient dans un safari et essaient de « dompter » l'autre et de l'obliger à prendre leur route. Or, dompter n'est pas apprivoiser, c'est assujettir. Apprivoiser, c'est créer des liens, avec soi et avec l'autre, ce qui permettra à chacun de poursuivre à sa façon un but commun basé sur des valeurs similaires.

Parcourir sa portion du chemin menant au but commun

Ce qui peut rendre la poursuite d'un but commun difficile est le désengagement. Il survient notamment lorsque le sentier qu'emprunte l'autre nous est imposé. Il est alors plus difficile de prendre notre place, mais l'imagination nous donne toujours la possibilité de la trouver, dans n'importe quelle situation.

Lorsque Ariane a eu son premier bébé, par exemple, Vincent, découragé par ses exigences, s'est progressivement désengagé de la relation et des soins de l'enfant. Le défi de Vincent fut alors de trouver ses motivations personnelles pour s'occuper de son enfant. Même s'il avait, avec Ariane, un projet commun, il devait arriver à se motiver lui-même. Il chercha donc des moyens différents de s'occuper de son enfant, même s'il dut pour cela rassurer sa compagne, qui trouvait ses jeux parfois dangereux.

Dans la poursuite des buts communs, il s'agit de faire des compromis et non de subir les exigences de l'autre pour les lui faire payer ensuite. Il faut assumer nos décisions et notre façon d'être. Lorsque Vincent a été confronté aux exigences de la vie de famille, il lui aurait été facile de fuir, de se désengager, et de devenir ainsi la victime du perfectionnisme d'Ariane. Mais Vincent a choisi Ariane. Elle pouvait l'aider à structurer la poursuite de ses objectifs. Il a donc décidé de reprendre sa place dans la famille en apportant sa créativité et son imagination, essentielles au développement de ses enfants.

La filiation

Nous laissons des traces, lors de notre passage en *Amour,* que nos descendants reconnaîtront au passage lorsqu'ils le visiteront à leur tour. Bien souvent, nos enfants feront face aux défis que nous n'avons pas osé affronter (comme nous affrontons ceux que nos parents ont évités). Je me souviens de Sara, une jeune femme de 21 ans qui cherchait à aller en *Amour* avec son copain, mais dont le chemin était bloqué, car ses parents lui interdisaient toute relation sexuelle avant 24 ans. Elle était rendue, en quelque sorte, à l'endroit où ses parents s'étaient arrêtés. Elle incarnait ainsi l'ombre de ses parents. En remettant en question leurs valeurs, cette situation générait du chaos dans leur vie. Elle dut apprendre à défricher son propre sentier et à construire son système de valeur personnel, en accord avec son époque et sa culture.

S'engager à jouer ensemble

Que reste-t-il lorsque les enfants sont élevés, que nous avons atteint nos objectifs, et que la passion s'est estompée et n'est plus l'un des buts de la relation ? Que faire lorsque les projets initiaux principaux sont réalisés et que les paysages qui agrémentent notre voyage deviennent moins exotiques ? Il reste cet engagement pris dès l'*Amour-naissant,* qui est celui de jouer ensemble. Sur la carte, le *sentier du Jeu,* en forme de cœur, retourne à son point de départ pour montrer que l'un des buts fondamentaux du couple est justement la complicité et le jeu. Un nouveau but commun se révèle alors : celui de se consacrer à avoir du plaisir avec l'autre et à lui en donner, tant au quotidien, dans les tâches de la vie de tous les jours, que dans l'exploration des plaisirs sexuels.

Cela ne signifie pas que la poursuite de buts communs élimine définitivement les tensions. La poursuite de buts communs par le *sentier du Jeu* permet plutôt de donner une direction aux tensions qui existent dans un couple.

Poursuivre ensemble un but qui nous dépasse, et ce, même si c'est simplement de relever le défi de jouer ensemble, permet justement de se dépasser. C'est alors que le passé, le présent et le futur peuvent faire partie de la relation. Le passé qui a contribué à la rencontre, le présent qui permet de jouer ensemble et le futur qui permet d'imaginer une destination qui n'existe pas encore, où nous laisserons une trace, après le passage du couple en *Amour-durable*, qui deviendra le point de départ de nouvelles aventures amoureuses pour nos enfants.

Sentier et destination ne font qu'un pour les couples qui sont aux portes de l'*Amour-durable*. Les couples qui jouent, tout comme les enfants, ne voient pas le temps passer...

Carte de l'Amour-durable

Terra Incognita de l'Amour-durable

Buts - communs

Sentier du Jeu

Doute des

Jardement des besoins

Archipel de l'amitié

L'Amour-durable

L'amour durable n'est pas la
solution d'un problème privé.
C'est le mythe qui donnera
un sens à la société de demain.

JACQUES DE BOURBON BUSSET

L'homme chanceux, c'est celui qui
s'invente un endroit à trouver.

YVES THÉRIAULT

L'*Amour-durable* est l'étape ultime à laquelle aspirent la plupart des amoureux. Comme tous les voyages, les relations ont une destination finale. Paradoxalement, c'est bien souvent le fait de prendre conscience de la fin qui nous motive à la repousser le plus loin possible et à chercher ensemble un toit pour abriter et protéger notre relation. De la même façon, c'est le fait de prendre conscience de la fragilité de notre planète qui nous pousse à lutter pour le développement durable.

Ainsi, que feriez-vous si vous appreniez que vous alliez perdre votre partenaire de voyage ? Que changeriez-vous dans votre relation si on vous disait qu'elle doit se terminer dans

24 heures ? Ceux qui y verraient une libération peuvent se dire que leur périple amoureux avec leur partenaire est terminé et que *l'Amour-durable* n'est probablement pas une destination pour eux. Mais si votre réaction est différente, il y a de fortes chances que vous soyez en route vers cet endroit, ou que vous y soyez déjà.

Je pense ici au couple formé par Antoine de Saint-Exupéry et sa femme Consuelo. Ensemble, ils ont longtemps habité la *jungle des Jeux-de-pouvoir*. Il semble qu'ils l'aient quittée dans les années 1940, lorsqu'ils ont pris conscience de la fin possible de leur relation. Saint-Exupéry a d'ailleurs écrit à son amie new-yorkaise, Sylvia Hamilton, peu avant de mourir dans un accident d'avion en Méditerranée : « Ma femme s'est fait attaquer dans la rue. Pour lui voler son sac on l'a assommée d'un coup sur la tête. Je l'ai retrouvée très malade et depuis quarante-huit heures je n'ai pas bougé d'auprès de son lit. J'ai compris que si ma femme avait été tuée, je n'aurais plus pu vivre. J'ai compris la profondeur de ma tendresse pour elle, sentiment qui efface toutes les rancunes de surface, les petits froissements de la vie quotidienne[23]. »

Leurs biographes connaissent bien les difficultés qu'ils ont traversées tout au long de leur Aventure amoureuse. C'est une chance pour nous que malgré tout, ils aient persévéré. Leur relation a contribué à engendrer l'une des œuvres les plus sublimes que le monde ait connue. Sans ce parcours amoureux, nous n'aurions probablement jamais connu l'un des enfants les plus attendrissants de la planète : *Le petit prince* qui est né de leur union.

La finalité de l'Aventure amoureuse

Le défi d'habiter en *Amour-durable* est de défier le temps et la mort à deux, par la création. Créer, c'est possiblement la finalité

---

23. *Il était une fois le petit prince*, p. 110.

de l'Aventure amoureuse : favoriser la réalisation de soi et de l'autre, incarner une nouvelle culture de couple. Les couples en *Amour-durable* ont conscience de leur fin éventuelle, ils se rappellent constamment que leur relation n'est jamais acquise. C'est en bonne partie de là qu'ils tirent le courage de travailler à prolonger sa durée.

Ariane et Vincent ont puisé leurs motivations à s'engager plus profondément en *Amour-durable* dans une épreuve. Lorsque Ariane s'est retrouvée face à une maladie mortelle, ils ont mobilisé l'énergie utilisée lors de leurs habituels combats au sujet du ménage, du lit et des différentes façons de changer les couches du bébé, pour faire face à cette dure réalité. La mort est devenue le nouvel « ennemi » à combattre et ils ont décidé de la repousser le plus loin possible.

En faisant la guerre à la maladie et à la mort, ils ont appris à mieux répartir le pouvoir dans leur relation. C'est en étant confrontés à une force qui les dépasse que les couples quittent la *jungle des Jeux-de-pouvoir* pour des horizons plus créatifs et plus démocratiques.

La démocratie dans le couple

Vous vous demandez peut-être ce que la politique vient faire dans l'Aventure amoureuse ? La politique est essentiellement l'art d'exercer le pouvoir. En ce sens, l'amour et la politique ont beaucoup en commun. Nous nourrissons à leur égard un cynisme impitoyable – peut-être parce que les deux ne tiennent pas toujours leurs promesses –, et sommes autant désillusionnés par l'un que par l'autre. Ce qui est important de noter, c'est que dans les deux cas, la répartition du pouvoir est en jeu. Sans une saine division du pouvoir, le couple sombre dans la guerre et cède aux tentations de la dictature dans la *jungle des Jeux-de-pouvoir,* comme nous l'avons vu précédemment.

Le couple est le plus petit pays du monde et il ne devrait jamais être une dictature. On doit y faire des élections de temps en temps pour permettre aux partenaires de se choisir à nouveau. L'élu de notre cœur doit donc parfois retourner au scrutin. Malheureusement, dans de nombreuses relations, certains partenaires ont perdu leur droit de vote, comme cette femme dont nous avons parlé plus tôt, qui a échoué sur l'*île de la Dépendance* avec un partenaire qui prenait les décisions à sa place. Nous avons aussi étudié le cas de Constance, dont le conjoint est banquier, mais qui n'a même pas la liberté d'avoir un compte bancaire à elle.

Le couple est le début de la communauté, un microcosme qui reflète les relations sociales. C'est le premier lieu de guerre comme le premier lieu de civilisation. Tout comme la plupart des anciennes civilisations qui ont connu des périodes d'esclavage, voire de barbarie, et d'impitoyables guerres, certains couples, comme celui d'Ariane et Vincent, ont dépassé ce stade en développant un nouveau mode démocratique. Ils fonctionnent comme une nation, qui utilise un parlement pour faire entendre les opinions de sa population et se choisir un projet de société, et ont appris à mieux répartir le pouvoir dans la poursuite de leurs buts communs et personnels. En s'établissant démocratiquement, ils ont tourné le dos à l'esclavage et à la barbarie.

Cela ne signifie pas qu'il n'y ait plus de jeux de pouvoir entre eux, mais en *Amour durable*, ceux-ci se vivent justement dans un espace de jeu (de domination ou de soumission érotique en respectant les deux partenaires, par exemple).

Je suis d'accord avec Esther Perel[24] qui relativise l'illusion d'égalité absolue dans le couple, mais je ne remets pas en question la recherche de la démocratie dans le couple. La gestion des besoins implique parfois des renversements de pouvoir, mais le couple doit toujours maintenir le « parlement des besoins » bien en place pour ne pas sombrer dans l'anarchie ou la dictature…

---

24. *L'intelligence érotique: Faire vivre ses désirs dans le couple*, Esther Perel.

Le parlement des besoins

La démocratie consiste à donner le pouvoir au peuple et le droit de parole à tous. Dans le « pays du couple », le peuple c'est l'univers des besoins. Le premier niveau de gouvernement commence donc en soi, par une démocratie de notre propre psyché et de nos besoins. Un droit de parole doit être donné aux multiples besoins qui cherchent à se faire entendre.

Le vrai pouvoir politique, la véritable autorité, c'est d'abord de se diriger soi-même. C'est ce que fit Vincent en prenant la responsabilité de ses besoins et en négociant avec Ariane, qui a elle aussi appris à exprimer les siens.

Grâce à sa maladie, Ariane a levé une bonne partie des embargos qui l'enfermaient dans des rôles rigides et l'empêchaient de recevoir quoi que ce soit de Vincent. Son ancienne peur l'avait conduite à essayer constamment de contrôler Vincent. Elle avait certes une illusion de contrôle, mais elle devait, pour la garder, enfermer ses propres besoins, comme des prisonniers politiques dans des prisons à haute surveillance.

En cédant du contrôle à l'autre et en s'affirmant davantage, elle a acquis du pouvoir sur ses besoins. Elle a laissé Vincent la dorloter à sa façon (imparfaite peut-être), et l'expérience fut fort agréable. Elle a appris à recevoir, même si ce que Vincent lui donne n'est pas toujours de la forme et de la couleur qu'elle aurait choisies, et cela a changé radicalement les rôles et réparti le pouvoir dans leur couple de façon plus équitable. Au lit, elle accepte davantage les initiatives de Vincent, en faisant preuve de plus d'ouverture et a rangé le sécateur (symbole du début de leur relation) qui l'empêchait de se laisser aller. Vincent a recommencé à prendre son temps pour les préliminaires et a assumé son côté artiste, orchestrant des séances de photographies ou d'autres mises en scène ludiques. Ils se retrouvent ainsi plus souvent dans l'espace de jeu qu'ils fréquentaient lorsqu'ils se sont connus...

Si le couple veut être un pays fort, les partenaires doivent favoriser l'expression de leurs émotions, de leurs fantasmes, etc., tout en assurant la satisfaction des besoins sous-jacents de chacun.

Le parlement est un lieu où les tensions peuvent se confronter sans se détruire. Il est un espace de civilisation des opposés, une alternative à la guerre. Notre parlement intérieur est ainsi constitué de toutes sortes de besoins qui peuvent s'opposer mais qui doivent travailler ensemble comme des ministères. Un budget de libido doit être voté pour équilibrer les besoins de l'un et de l'autre. Il va sans dire aussi que pour qu'un couple soit démocratique, la liberté est essentielle. En *Amour-durable*, il est de mise de surveiller toute forme de totalitarisme qui nivellerait les différences, empêchant la réelle rencontre des opposés...

Le totalitarisme amoureux

Comme le disait si bien Félix Leclerc: «Dans un régime totalitaire, l'opposition est toujours en prison.» De fait, un régime de dictature totalitaire n'admet aucune opposition. On rencontre de tels régimes chez les couples lorsque le rêve de fusion n'a pas été abandonné.

Revenons par exemple à notre banquier, qui craignait toute marque d'originalité de la part de sa conjointe, qui elle, aimait beaucoup s'afficher dans des vêtements sexy. Il exerçait une forme de censure envers elle parce qu'il ne supportait pas la manifestation de sa différence, empêchant ainsi son épanouissement. Elle cherchait toujours à penser comme son mari et à s'identifier à lui pour éviter qu'il se fâche...

Paradoxalement, le rêve de fusion éloigne et la confrontation rapproche. C'est ce qu'énonce Jacques de Bourbon Busset[25]: «L'amour m'a donné la mesure de la distance, aussi indispensable en dehors de l'amour que dans l'amour, en politique notamment où le rêve de la fusion conduit au totalitarisme.»

---

25. *La différence créatrice*, p. 46.

On retrouve, chez les couples vivant en *Amour-durable,* une saine distance entre les partenaires, qui permet aux différences de s'exprimer. Les couples qui y vivent sont conscients de la solitude de chacun des partenaires, même lorsque le couple est arrivé en *Amour-durable.* En ce sens, comme l'écrit Rilke: «Aimer véritablement, c'est aussi protéger la solitude de l'autre.» Une Aventure amoureuse qui aboutit en *Amour-durable* n'éliminera donc jamais la différence ni les moments de solitude. Nous serons toujours seuls, il s'agit de bien choisir avec qui...

Terre de liberté et d'exploration

L'*Amour-durable* est une terre de liberté. Nous avons souvent une conception erronée de la liberté, nous la voyons comme un espace-temps dans lequel il n'y aurait aucune limite, alors que la liberté n'est pas uniquement liée au nombre de possibilités mais davantage à la capacité de discerner l'essentiel. Ainsi, lorsque l'on est en *Amour,* on peut être privé de notre liberté sans le savoir, à force d'être noyé dans les possibilités. En allant en *Amour* aujourd'hui, nous croyons être libérés des contraintes de la morale sexuelle par exemple, mais nous devenons esclaves de nos pulsions, de notre quête effrénée des plaisirs instantanés et d'illusoires étoiles filantes. Nous apprenons alors que ce qui nous donne du plaisir n'est pas nécessairement ce qui nous rendra heureux, ni ce qui nous permettra de former avec l'autre un couple libre et durable.

On atteint peut-être davantage la liberté amoureuse en s'établissant solidement (après parfois beaucoup de recherches et d'égarements) dans un espace où nous allons trouver non pas toutes les satisfactions, mais l'essentiel de ce que nous avons besoin. En ce sens, nos premiers voyages en *Amour,* à l'adolescence, nous préparent souvent au grand voyage. Ils nous permettent d'explorer et nous font découvrir l'essentiel de ce que nous devons connaître pour y être bien. Certains peuvent s'établir durablement avec la première personne rencontrée, mais il faut souvent plusieurs tentatives. Nous devons connaître nos limites, acquérir une très bonne connaissance de nous-même et du «terrain» de *l'Amour* pour y être confortable. Plusieurs faux pas, plusieurs expéditions devront être sacrifiées avant de découvrir l'*Amour-durable* et de décider de s'y établir pour apprécier l'essentiel en toute liberté.

Vaincre l'esclavage amoureux

Généralement, on ne perd pas notre liberté, on la donne. À force de voyager avec une personne, nous perdons souvent le goût de l'exploration pour nous voir à travers les yeux de celle-ci, comme les Noirs du Nouveau Monde se voyaient à travers les yeux des Blancs et se définissaient dans leurs rôles d'esclaves. C'est aussi ce qui est arrivé à la femme du banquier, dans l'exemple étudié plus tôt.

Être en *Amour-durable,* c'est voter librement pour un mode de vie. Regardez autour de vous. Quels sont ces couples qui se sont choisis et qui sont véritablement libres d'être ensemble ? Beaucoup de gens sont malheureusement prisonniers des choix des autres. Ils errent dans un pays ou une maison qu'ils n'habitent pas et craignent d'assumer leur autonomie, ce qui les obligera parfois à recommencer le voyage avec quelqu'un d'autre ou à s'établir ailleurs...

Le déclin de l'empire amoureux

On ne construit pas des couples ou des pays dans la terreur. La constitution d'un *Amour-durable* doit se faire autrement. Le couple, comme toute société ou institution, qui n'est pas arrivé à recycler sainement ses peurs, à répartir équitablement le pouvoir et à canaliser ses mécanismes de contrôle, est condamné au déclin. En ce sens, nous avons peut-être beaucoup à apprendre sur le déclin des couples en étudiant la fin des civilisations.

Quand un couple, ou une civilisation, perd ses raisons d'exister, de combattre, d'avoir des enfants, ou de transmettre sa culture, il peut s'éteindre de façon précoce.

Le couple en déclin peut alors avoir recours à toutes sortes de stratégies pour se saboter, en utilisant des frappes préventives ou des complots pour faire partir l'autre sans en assumer la responsabilité, et ainsi justifier une guerre ou une séparation. Mais un couple peut aussi décider d'un commun accord de s'établir ailleurs en paix. Il peut décider d'assumer sa fin de façon mature et responsable au lieu de s'entre-déchirer ou de se laisser aller vers le déclin.

L'archipel de l'Amitié

Est-ce que l'*Amour-durable* dure nécessairement toute une vie? Lorsque nous n'arrivons plus à rêver ensemble, que nous avons épuisé notre imagination et ne pouvons renouveler nos buts communs, que la conscience de la fin amène davantage une libération qu'un désir de préservation, une saine séparation est alors à envisager. Rappelons ici que ce n'est pas la séparation qui est le drame des couples modernes, mais la guerre. Savoir se quitter sans se battre est un art qui se pratique dans l'*archipel de l'Amitié*.

L'*archipel de l'Amitié* est le lieu des relations qui se sont bien terminées, un espace où le couple trouve la maturité et assume ses responsabilités pour se séparer sainement. Ici, nous avons fait la paix avec notre partenaire de voyage, qu'il nous ait quitté par choix ou par la force des choses, par la maladie ou l'impossibilité de renouveler les buts communs.

Tout comme c'est le cas pour la *presqu'île de l'Amitié-amoureuse*, aller dans l'*archipel de l'Amitié* est une décision qui doit être prise à deux, en respectant l'histoire de la relation. La fin d'un voyage amoureux ne doit donc pas être motivée par la peur, le désir de consommation ou l'impulsivité de notre cerveau reptilien. C'est une décision qui doit être mûrie et votée librement par le «parlement des besoins» des partenaires, comme elle le serait par tout pays désirant assumer son avenir et son indépendance en affrontant sa peur de l'inconnu.

La prison de la Culpabilité

Certaines personnes ne peuvent pas quitter un partenaire, même lorsqu'il n'est plus dans leur vie, parce qu'elles vivent dans la *prison de la Culpabilité*. Cette prison se trouve sur une île minuscule qui n'est visible sur aucune carte. La plupart du temps, ces personnes sont accusées sans procès et nul ne sait exactement le traitement qu'ils y reçoivent...

Marie était dans cette prison après avoir laissé son conjoint, qui s'est suicidé peu après son départ. Lorsque je l'ai rencontrée, elle vivait dans cette culpabilité depuis plus de cinq ans. Nous avons donc procédé à un exercice que je fais souvent avec des gens souffrant de culpabilité malsaine: nous avons fait le procès de Marie, accusée d'avoir provoqué la mort de Craig.

D'un côté, les avocats de la Couronne, de l'autre ceux de la Défense. Évidemment, comme souvent dans ce genre de situation, les avocats de la Couronne sont impitoyables et prennent toute la place. Dans leur plaidoyer, ils mentionnaient qu'elle avait été égoïste dans cette relation, qu'elle n'avait pas su satisfaire cet homme et le rendre heureux. Elle était formellement accusée d'avoir échoué dans son mandat de sauver Craig de sa dépression, ce qui, selon les plaignants, aurait causé sa mort.

Par contre, elle a été surprise d'entendre pour la première fois ses avocats de la Défense. Ceux-ci ont fait ressortir ses besoins cachés. Elle avait un grand besoin d'être valorisée et c'est ce qu'elle tentait de faire en voulant sauver cet homme.

Elle éprouvait aussi le besoin d'apprendre à se connaître et un grand besoin de liberté. Tous ces besoins avaient été négligés dans la relation.

Elle put être acquittée par un sérieux alibi : elle n'était pas présente dans la relation. Elle s'était complètement oubliée pour cet homme. Comment aurait-elle pu être responsable d'un meurtre alors qu'elle n'était pas sur la scène du crime ? De plus, comment pouvait-on l'accuser d'égoïsme, elle qui ne connaissait même pas ses propres besoins ?

Elle a par contre reçu une sentence pour un autre chef d'accusation. Elle a été reconnue formellement coupable de négligence personnelle et dut faire des travaux forcés pour se redécouvrir et redéfinir ses besoins.

Cet exercice est valable pour n'importe quel sentiment de culpabilité. Tout le monde a droit à un procès juste et équitable en regard de la justice sociale comme de la justice psychique. Bien sûr, nous sommes libres de nous condamner sans procès ou même de demeurer en prison même si nous sommes acquittés. Nous sommes libres de rester accrochés à la culpabilité si celle-ci nous préserve de la peur d'être libre, car après tout, en prison on est en sécurité, logé et nourri. Mais vivre dans la *prison de la Culpabilité*, c'est parfois être condamné sans procès et vivre avec un « crime » que nous n'avons pas commis, qui nous tient prisonniers à notre insu, dans un endroit où personne ne peut nous voir ni nous rencontrer.

Dans le cas de Marie, son nouveau procès lui a permis de s'affranchir de cette culpabilité malsaine. Elle a osé affronter sa peur de la liberté et sa crainte de souffrir de nouveau dans une relation et s'est ainsi rendue disponible pour de nouvelles rencontres.

L'art de la rencontre

Bien sûr, nous n'allons pas en *Amour* pour nous éloigner de nous-même ou de l'autre, et ne souhaitons évidemment pas que nos relations nous mènent à des procès ou nous fassent perdre notre liberté. Nous souhaiterions rester toujours les mêmes et que notre partenaire demeure comme au premier jour de notre rencontre. Le secret pour voyager loin en *Amour* est peut-être, au contraire, d'apprivoiser davantage ce que l'on découvre sur nous-même et sur l'autre au cours de relation.

Les couples matures qui vivent en *Amour-durable*, tout comme les grandes civilisations, ont développé l'art de la rencontre. Une femme d'un certain âge expliquait au psychologue Bill O'Hanlon[26] qu'elle avait pu vivre en *Amour* pendant cinquante ans parce qu'elle avait eu cinq maris. Bill crut alors qu'elle avait été mariée avec cinq hommes différents, mais elle continua : « lorsque nous nous sommes mariés, il était un jeune homme idéaliste, fort et vigoureux. Il s'est ensuite transformé en travailleur acharné. Au début, je n'aimais pas cet homme qui travaillait trop, mais j'ai appris à le connaître et à l'aimer. Puis, j'ai rencontré un homme en pleine crise de la quarantaine : il s'est désintéressé du travail et a découvert de nouveaux intérêts, que j'ai appris à apprécier aussi. Finalement, il est devenu ce vieil homme plissé et bedonnant qui partage maintenant ma vie. Je ne vois plus du tout le jeune homme que j'ai marié il y a cinquante ans, mais j'apprécie maintenant sa sagesse et je suis retombée une cinquième fois en amour avec lui. »

C'est peut-être l'un des secrets qui permettent au couple d'habiter en *Amour-durable* ; accepter de rencontrer l'autre à toutes les étapes du voyage, mais aussi d'apprendre à se rencontrer soi-même à chaque étape de l'aventure.

Les voyageurs amoureux se rencontrent une première fois en *Amour-naissant*. Les hasards nécessaires les guident vers le meilleur partenaire pour entreprendre la grande aventure, à ce moment donné. Ils découvrent alors un rêve et entrevoient la promesse d'un ailleurs. Ils font souvent l'amour sur les *plages du Sexe* et créent ensemble une nouvelle culture sur les *plages de la Créativité*.

---

26. Bill O'Hanlon, *Rewriting love stories*, traduction libre, p. 164-165.

Ils se mettent ensuite en route et, épuisés par les nuits blanches, rencontrent une baisse d'intensité, et parfois même l'ennui dans la *vallée du Quotidien*. Cette nouvelle réalité ne décourage toutefois pas les amoureux, qui apprennent à se responsabiliser et à emprunter ensemble le *sentier du Jeu*.

Certains hommes ont rencontré la paternité, ses hauts et ses bas, et ont reconnu en eux-mêmes des traits de caractère de leur père. Certaines femmes ont rencontré la maternité, avec ses imperfections, mais aussi sa sagesse.

L'amant et l'amante se sont peut-être moins faits présents, mais une fois les enfants couchés et la lumière fermée, des moments d'intimité ont pu rallumer leur *ciel des Désirs*.

Les partenaires ont été tentés de prendre les mêmes rôles et les mêmes chemins que leurs ancêtres, pour le meilleur et pour le pire. Ils ont pu vouloir ressembler à leur oncle coureur de jupons, à leur grand-mère un peu mégère, à leur grand-père avare ou encore emprunter des traits de personnalité : l'humour de leur tante, la créativité de leur cousin, l'affection inconditionnelle de leur mère, l'instinct protecteur de leur père, etc.

Parfois les amoureux ont pu rencontrer des *vaisseaux fantômes des « ex »* ou d'éventuels *vaisseaux pirates*, sans perdre de vue leur destination. Ils ont rencontré leurs peurs, leurs ombres et ont peut-être bifurqué en *Dépendance*, sans en devenir esclaves.

Puis, ils ont rencontré leurs opposés dans la *jungle des Jeux-de-pouvoir*. Ce chaos a donné lieu à une nouvelle réalité, celle de la reconnaissance de l'originalité de chacun. « Ils sont arrivés à faire des contrastes avec leurs contraires », comme le dit l'excellente metteure en scène et comédienne Nancy Bernier. Ils ont découvert des parties d'eux-mêmes qu'ils avaient oubliées, délaissées ou ignorées, ce qui leur a permis de comprendre pourquoi ils ont choisi ce partenaire en particulier pour voyager.

Même si leur corps a vieilli et que leur personnalité a changé pendant le voyage, les amoureux se sont reposés ensemble dans l'*aire de Respect* et ont cessé de vouloir se changer ou de vouloir changer l'autre. Ils ont appris à rencontrer l'inconnu en eux et en l'autre et ont découvert avec surprise une nouvelle personne avec qui retomber en *Amour*.

Ils ont appris à vivre avec les défauts de l'autre, à les respecter et parfois même à les espérer : ce petit ronflement du soir, cette manière bien à lui d'oublier de la mousse à raser sur son visage, sa façon à elle de faire des châteaux de papier sur la table de la cuisine, bref toutes les marques d'originalité qui font qu'une personne est unique et irremplaçable.

Dans les *plaines de Confiance*, ils ont rencontré les *rivières du Doute*, *de la Méfiance* et *de la Peur*, mais ils ont bâti ensemble de solides ponts de communication pour les enjamber. Malgré les différences et les agacements, ils ont découvert un « nous » au-dessus de leurs « je ». Ils se sont élevés au-delà de leurs différences pour gravir ensemble le *mont des Buts-communs* et ainsi apporter quelque chose de nouveau à leur entourage.

Prendre conscience de leur fin éventuelle les a poussés à se choisir des valeurs communes et à répartir sainement le pouvoir dans leur couple. C'est ainsi qu'ils ont voté librement et démocratiquement pour un mode de vie qui leur permet d'être ensemble et se sont engagés à négocier des accommodements raisonnables, loin des turbulences de la *jungle des Jeux-de-pouvoir* et de l'*île de la Dépendance*.

Le couple établi en *Amour-durable* a su maîtriser les forces de l'*océan de Rencontres*, pour habiter enfin une terre solide et fertile.

Habiter ensemble le Nouveau Monde amoureux

Nous disons, au début de nos aventures amoureuses : « J'ai envie de sortir avec toi », puis en cours de route, cela se transforme en : « J'ai envie de rentrer chez moi avec toi. » Pour échapper à l'itinérance affective, nous cherchons tous un « toi » au-dessus de notre cœur. Le couple d'aujourd'hui et de demain a perdu les repères et les plans qui lui fournissaient auparavant un modèle pour construire sa maison, mais c'est là justement une formi-dable occasion de le réinventer.

L'Amour-durable est un pays en voie de développement. Beaucoup de gens rêvent d'un paradis où tout est facile et où les besoins se comblent facilement, sans conflits. Ils s'attendent à ce que l'*Amour* leur fournisse le confort, la sécurité et le bonheur absolu. Mais ce n'est pas ainsi que le Nouveau Monde s'est bâti et le Nouveau Monde amoureux suit le même modèle. Nos ancêtres ont construit leur pays sur une terre sauvage, à la sueur de leur front, en affrontant courageusement leurs peurs.

Au terme de cette grande aventure, osons rêver que le couple d'aujourd'hui et de demain, comme celui d'Ariane et Vincent, traversera l'*aire de Respect*, les *plaines de Confiance* et le *mont des Buts-communs*, et trouvera la force et le courage de se bâtir une solide et magnifique demeure en *Amour-durable*. Mais surtout, espérons qu'il n'oubliera pas non plus de se construire un petit chalet en *Amour-passion, pour y passer des vacances de temps en temps...*

Conclusion

Vers une écologie de l'Amour

Il y a probablement des milliers voire des millions de personnes qui accostent en *Amour* alors que vous lisez ces lignes. Mais il y en a aussi malheureusement tout autant, sinon plus, qui sont en train de faire naufrage sur ses rives.

Nous allons en *Amour* depuis la nuit des temps et lorsque deux personnes s'y retrouvent, elles pénètrent dans un espace sacré vieux de plusieurs centaines de milliers d'années. Il fut un temps où ce lieu était davantage vénéré et respecté. Nous y allons aujourd'hui plus souvent qu'autrement en conquérant, en touriste ou en consommateur. Nous posons le pied en *Amour* sans toujours prendre conscience des dégâts que nous pouvons causer. Nous sommes alors facilement submergés par les tempêtes passionnelles et les débordements affectifs de toutes sortes et épuisons les ressources de l'*Amour* plus rapidement, comme nous épuisons celles de la Terre, avec nos guerres et notre trop grande consommation.

L'environnement, c'est aussi l'espace qu'il y a entre chacun de nous. Nous devons en prendre soin et le respecter, comme nous devons respecter la planète qui nous héberge. Lorsque les Européens ont découvert le Nouveau Monde, ils ont été surpris de constater que les autochtones ne connaissaient pas l'idée de possession du territoire. Ceux-ci habitaient leur environnement avec respect et dévotion. Il en va de même avec l'*Amour*. Tout comme la terre de nos ancêtres, il nous est prêté pour un temps donné et peut nous être enlevé à tout moment. Même si nous le considérons souvent comme acquis, il ne dure pas éternellement. Dans une vie humaine, le nombre de caresses à recevoir et de nuits où nous pourrons dormir « en cuillère » est limité. Aussi durable l'*Amour* soit-il, le nombre de baisers à donner décroît au fil des jours. Combien de fois allons-nous pouvoir faire l'amour ? Combien de films allons-nous regarder avec notre partenaire avant de le quitter ? Combien de nuits étoilées pourrons-nous contempler avant la fin de notre voyage ?

J'ai longtemps négligé cette réalité, en ne mesurant pas la rareté et la richesse d'une relation amoureuse durable, mais une rencontre a changé le cours de ma vie. Une rencontre a donné la vie. Il y a quelques jours, j'ai eu l'occasion d'entendre le cœur d'un petit être fragile, puis de l'apercevoir pour la première fois derrière le hublot d'un écran d'ordinateur. J'y ai vu une petite cosmonaute flottant dans le vide, encore vulnérable, mais luttant courageusement pour préparer son entrée dans notre atmosphère.

Ce petit être qui pousse dans le ventre de ma bien-aimée, alors que j'écris ces lignes, veut de ce monde, même s'il est imparfait. C'est ce monde qu'elle a choisi pour venir y faire ses bonshommes de neige. J'espère qu'elle y trouvera sa place, tout comme ce livre qui vient d'être mis au monde. Je souhaite que vos rencontres engendrent la vie, que ce soit par des œuvres qui toucheront vos proches ou de petites mains qui enlaceront vos familles.

J'espère vous avoir donné le goût de recommencer à rêver ce Nouveau Monde amoureux et de trouver l'imagination, la créativité et le courage nécessaires pour y jouer et l'habiter durablement. J'espère qu'ainsi, nous pourrons laisser à nos enfants une terre plus propre et plus paisible et un environnement affectif plus sain et porteur d'espoir, afin qu'ils puissent dire encore longtemps: « J'ai envie d'aller en *Amour* avec toi… »

Guide pratique

C e guide a été spécialement conçu afin de compléter ce livre et d'apporter une dimension pratique à votre Aventure amoureuse. Il a pour but de vous situer dans votre parcours amoureux et de vous permettre de mettre à jour vos cartes et vos représentations de l'*Amour*. Vous pouvez remplir, seul ou avec votre partenaire, les cartes qui suivent. Pour chaque étape, vous trouverez deux cartes vierges. Le parcours d'Ariane et Vincent vous est aussi montré à titre d'exemple. Si vous avez besoin de cartes supplémentaires, vous pouvez télécharger les cartes-exercices en plus grand format à l'adresse www.jfvezina.net.

Exercice 1

La carte de l'Amour-naissant

Le but de cette première carte est de représenter les éléments à l'origine d'une culture de couple.

Sur cette carte vierge de l'*Amour-naissant,* vous êtes invité à indiquer :

1. Le lieu où vous vous trouviez avant de rencontrer votre partenaire. Étiez-vous en relation avec quelqu'un d'autre ? Quel était le climat affectif de votre vie ? Étiez-vous en période de changement ?
2. Les entremetteurs ou les prétextes, c'est-à-dire les situations, objets ou personnes, qui ont permis votre rencontre. (Situez-les près du *phare de la Synchronicité.*)
3. L'endroit par lequel vous êtes passé pour arriver en *Amour.* Est-ce par l'*Amour-passion,* la *baie de l'Amitié* ou le *cap du Coup-de-foudre* ?
4. Ce qui vous a attiré et fasciné chez votre partenaire au début de votre relation. Pour vous aider, vous pouvez vous demander quelles émotions étaient présentes lors des premiers contacts, ou encore à quel acteur ou actrice votre partenaire vous faisait penser ?
5. Les objets culturels (films, livres, musique) qui ont été marquants pour vous, au début de votre voyage ensemble, ainsi que les plats préférés de votre couple, sa « gastronomie ».
6. Les objets qui symbolisent votre relation.
7. Les lieux physiques qui sont porteurs de sens dans votre relation.

La carte de l'Amour-naissant d'Ariane et Vincent

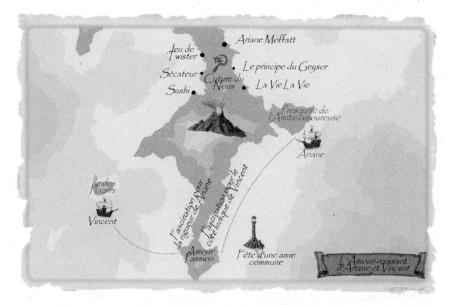

1. Vincent papillonnait dans l'*île des Plaisirs* alors qu'Ariane était dans la *presqu'île de l'Amitié-amoureuse* avec une autre personne, lors de leur rencontre.
2. Une amie commune les a mis en contact.
3. Tous deux s'entendent pour dire qu'ils sont passés par l'*Amour-passion* dès le départ.
4. Ariane était fascinée par le côté ludique de Vincent et celui-ci trouvait Ariane très bien organisée.
5. Dans leur culture de couple, les chansons d'Ariane Moffatt, les romans de Stéphane Bourguignon et les sushis tiennent une place particulière.
6. Deux objets symbolisent leur relation : le jeu de Twister et le sécateur.

Cartes vierges de l'Amour-naissant

Terres du Célibat

Terres du Célibat

Exercice 2

La carte de la vallée du Quotidien et le sentier du Jeu

Avec cette carte de la *vallée du Quotidien,* vous êtes invité à vous localiser par rapport au *désert de l'Ennui* et aux *montagnes de Stress* et à découvrir votre *sentier du Jeu.*

1. Si vous vous trouvez dans le *désert de l'Ennui,* indiquez un chemin qui vous permettra de relever des défis et de revenir dans le *sentier du Jeu.*
2. Si vous vous trouvez dans les *montagnes de Stress,* indiquez des aptitudes à développer qui vous permettront de retourner dans le *sentier du Jeu.*
3. Vous pouvez aussi en profiter pour identifier les petits jeux quotidiens qui vous permettent de retrouver la complicité à deux et les inscrire le long du *sentier du Jeu.*
4. Vous pouvez aussi établir des règles et des limites essentielles à respecter pour avancer ensemble.

La carte de la vallée du Quotidien et le sentier du Jeu d'Ariane et Vincent

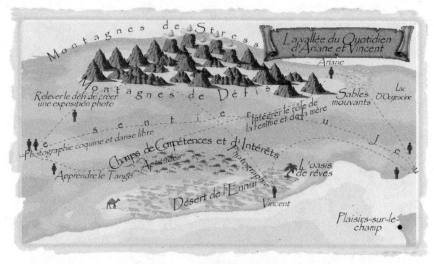

1. Vincent a dévié vers le *désert de l'Ennui*. Pour en sortir, il a relevé le défi de cultiver ses talents artistiques, en développant son intérêt pour la photographie.

2. Ariane a dévié vers les *montagnes de Stress*. Pour en descendre, elle dut renouer avec une ancienne passion et cultiver ses aptitudes pour le tango.

3. Ensemble, ils se retrouvent dans le *sentier du Jeu*, en créant des photographies érotiques et coquines. Ils ont aussi décidé d'organiser des soirées de danse improvisées.

4. Parmi les règles essentielles à respecter pour demeurer dans le *sentier du Jeu*, ils ont indiqué la nécessité d'interdire les critiques personnelles et de se garder un espace pour improviser. Ils ont aussi établi une règle de franchise et d'ouverture pour tout sentiment ou désir qu'ils pourraient ressentir pour d'autres personnes.

Cartes vierges de la vallée du Quotidien

Exercice 3

La carte du ciel des Désirs

Vous souvenez-vous des cahiers de dessin de votre enfance, où vous deviez relier les numéros et les points pour former une image ? Cet exercice vous propose de choisir des étoiles dans le *ciel des Désirs,* qui pourraient représenter vos désirs cachés ou conscients. Vous êtes invité à :

1. Relier des étoiles afin de créer des images représentant vos désirs futurs. Si, comme moi, vous n'êtes pas habile en dessin, vous pouvez simplement écrire vos désirs.
2. Indiquer, au centre de cette carte, des fantasmes que vous aimeriez réaliser.

La carte du ciel des Désirs d'Ariane et Vincent

1a. Ariane indique sur sa carte le désir de fonder une grande famille unie, de plaider une cause historique et de gagner un concours de tango en Espagne.

1b. Vincent indique sur sa carte le désir de faire connaître le plus grand nombre d'artistes possible à ses enfants, de devenir lui-même un photographe reconnu et de créer un logiciel qui révolutionnera le monde.

2a. Ariane indique dans son ciel le fantasme de faire l'amour dans le désert.

2b. Vincent indique dans son ciel le fantasme de visiter un club échangiste avec Ariane.

Cartes vierges du ciel des Désirs

Exercice 4

La carte de l'île de la Dépendance

Cette carte vous permet de représenter le climat émotionnel de votre relation. Utilisez la *boussole de l'intelligence émotionnelle* pour relier vos émotions à vos besoins.

1. Vous êtes invité à indiquer vos émotions principales au centre de l'île, et à les relier à vos besoins, situés près des ports, en périphérie de la carte.
2. Vous pouvez aussi indiquer les *parcs d'attraction* de vos anciennes ou présentes relations, c'est-à-dire ce qui motive vos choix de partenaires.
3. Vous pouvez aussi en profiter pour identifier vos « ex » et ceux de votre partenaire et les positionner selon l'intensité des émotions qu'ils suscitent en vous.
4. Vous pouvez aussi localiser d'éventuels *vaisseaux pirates* et des *tricksters* qui ont engendré un chaos créateur dans votre relation.

Dans l'*île de la Dépendance* de Vincent, nous retrouvons :

1a. Sa peur de perdre sa liberté, de se faire critiquer, sa colère devant des règles de couple trop strictes et sa peur d'être abandonné, qu'il relie à un besoin de prendre des initiatives, d'être reconnu, de négocier de nouvelles règles de couple et de développer son estime de soi grâce à des activités créatives comme la photographie.

2a. Son *parc d'attraction* principal est une relation où le climat émotionnel est dominé par des partenaires qui exercent un contrôle sur lui et ses besoins. Il choisit des partenaires « maternelles » parce qu'il a de la difficulté à s'occuper de lui-même et de ses besoins.

2b. Pour lui, l'« ex » d'Ariane, Richard, est un *vaisseau fantôme* qui ne génère plus de sentiments particuliers.

3. Son « ex », Cathy, est source de peur pour Ariane, qui craint de se comparer sexuellement avec elle, mais elle n'est pas une source importante de conflit dans le couple.

4. Le *trickster* ou le *vaisseau pirate* de Léa est venu créer du chaos dans le couple, mais il lui a aussi permis de faire une mise au point, de repartir sur une base nouvelle et de découvrir un nouveau sens à la relation.

Cartes vierges de l'île de la Dépendance

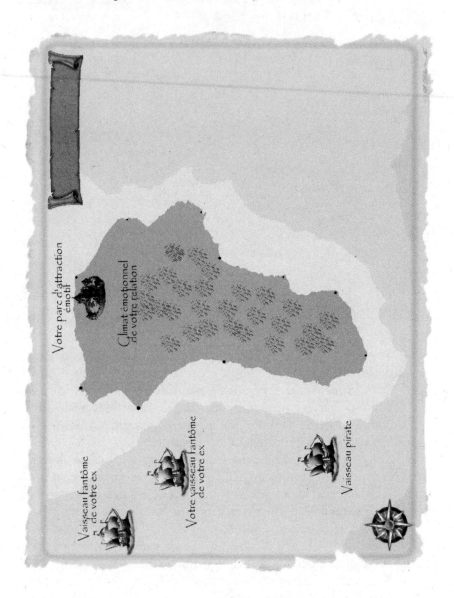

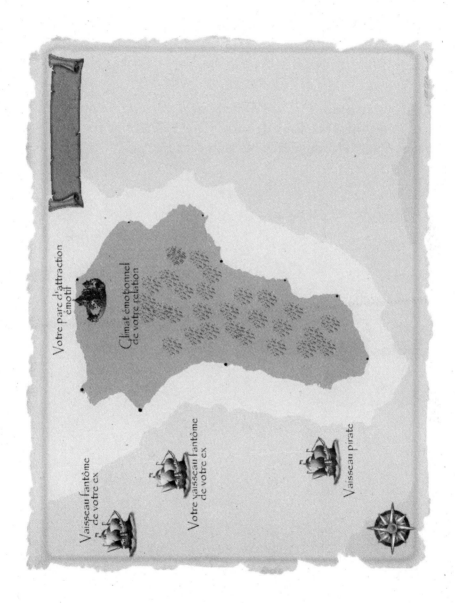

Exercice 5

La carte de l'île de l'Amour-idéal

Sur cette carte de l'*île de l'Amour-idéal,* vous êtes invité à identifier les amours idéaux de votre vie et à décrire votre conception d'une relation idéale. Ne vous censurez pas !

La carte de l'île de l'Amour-idéal d'Ariane

Sur la carte de l'*île de l'Amour-idéal* d'Ariane, nous retrouvons:

1. Rullio, son professeur de tango.
2. Sylvain, un de ses professeurs de philosophie au cégep, qui a été son premier grand amour. Elle était follement amoureuse de lui, mais cet amour n'a jamais été consommé.
3. Harrison Ford représente pour Ariane l'homme parfait, particulièrement lorsqu'il incarne Han Solo, le mercenaire rebelle et égocentrique.

Pour Ariane, dans une relation idéale, son partenaire arriverait à deviner ses moindres désirs sans qu'elle ait à formuler de demandes, il la prendrait en charge, partagerait toutes ses activités, prendrait des initiatives, lui communiquerait ses sentiments, aurait une grande capacité d'écoute, et ne regarderait jamais d'autres filles.

Cartes vierges de l'île de l'Amour-idéal

Exercice 6

La carte de la jungle des Jeux-de-pouvoir

Sur cette carte, vous êtes invité à :

1. identifier les thèmes des conflits de votre couple ainsi que les principaux blâmes qui y sont formulés.
2. proposer des routes et des ponts conduisant vers les *terres de Reconnaissance,* en inscrivant précisément les demandes et les suggestions qui vous permettraient de sortir de la *jungle des Jeux-de-pouvoir.*

La carte de la jungle des Jeux-de-pouvoir d'Ariane et Vincent

1. Deux champs de batailles privilégiés par Ariane et Vincent, lorsqu'ils ne se battent pas dans le lit : les tâches ménagères et l'éducation des enfants.

2a. Le blâme principal d'Ariane : « Tu es irresponsable ! » Elle pourrait le transformer en pont de demande précise : « Pourrais-tu aider aux tâches ménagères le dimanche matin ? »

2b. Le blâme principal de Vincent : « Tu es contrôlante ! » Il pourrait le transformer en pont de demande précise : « Je voudrais que tu respectes mes initiatives sans les juger. »

Cartes vierges de la jungle des Jeux-de-pouvoir

Reconnaissance

Sentier du jeu

Aire de Respect

Mer de l'Indifférence

Exercice 7

La carte de l'aire de Respect

Pour cet exercice, il s'agit de prendre conscience de vos principales valeurs et de celles de votre partenaire.

1. Autour de votre *maison du Respect,* indiquez les valeurs qui sont pour vous les plus importantes.
2. Faites la même chose autour de la *maison du Respect* de votre partenaire. Essayez de vous mettre à sa place et prenez conscience des valeurs importantes qui guident sa vie.
3. Près de l'église, indiquez ce que vous admirez chez l'autre.
4. Autour du sanctuaire, identifiez les petits rituels quotidiens qui vous permettent de sacraliser la relation dans le temps et l'espace.
5. Vous pouvez aussi en profiter pour identifier un objet qui symbolise votre relation.

La carte de l'aire de Respect d'Ariane et Vincent

1a. Les valeurs d'Ariane : la justice et la sincérité.

1b. Les valeurs de Vincent : le plaisir et la liberté.

2a. En se mettant dans la peau de Vincent sans le juger, Ariane a compris que pour lui la liberté était une valeur importante.

2b. En se mettant dans la peau d'Ariane sans la juger, Vincent a compris que la justice était pour elle une valeur importante.

3a. Ariane admire la créativité de Vincent.

3b. Vincent admire le dévouement d'Ariane pour les autres.

4. Ils ont développé un petit rituel pour protéger et préserver leur intimité : ils s'offrent une soirée au cinéma sans les enfants le deuxième mardi de chaque mois.

5. L'objet qui symbolise le mieux leur relation est le jeu de Twister.

Cartes vierges de l'aire de Respect

Exercice 8

La carte des plaines de Confiance

Sur cette carte, vous êtes invité à indiquer les principales demandes que vous désirez faire à votre partenaire.

1. Sur les ponts brisés, vous pouvez indiquer les blessures de confiance et les demandes précises que vous voudriez faire à votre partenaire pour rebâtir la confiance.
2. L'autre répond par l'affirmative s'il est d'accord, et s'engage dans ce chemin. Sinon, il doit proposer une alternative, par le biais d'un autre pont.
3. Vous pouvez aussi indiquer les zones de tabou dans votre relation.
4. Vous pouvez tenter de reconnaître des *patterns* dans la façon de communiquer et les identifier sans les juger.

La carte des plaines de Confiance d'Ariane et Vincent

1. La confiance a été brisée par la relation virtuelle que Vincent a entretenue avec Léa.

2. Pour réparer la confiance, Ariane a proposé que Vincent partage avec elle ses sessions de clavardage avec Léa. Vincent a accepté ce pont de demande et s'est aussi engagé à communiquer à Ariane toute attirance pour une autre personne, afin de rebâtir la confiance.

3. Cette relation était située près d'une zone de tabou du couple : la sexualité.

4. Vincent fait remarquer à Ariane un *pattern* dans sa façon de communiquer : elle commence toujours ses phrases par « tu » et cherche à découvrir les besoins des autres plutôt que de faire part des siens.

Cartes vierges des plaines de Confiance

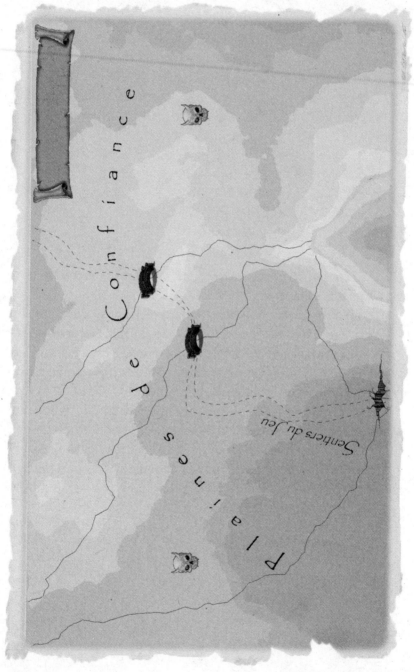

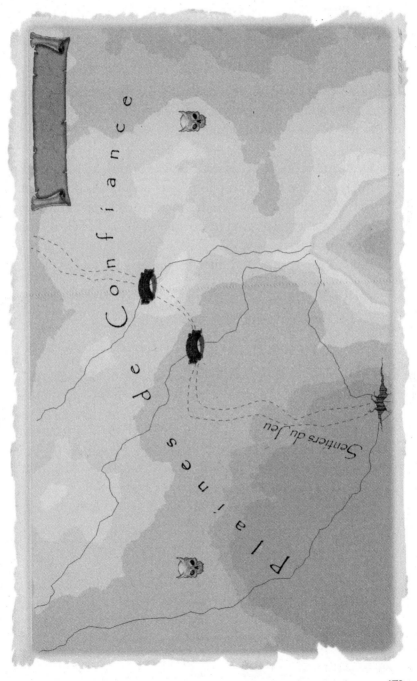

Exercice 9

La carte du mont des Buts-communs

Le but de cette carte est de représenter les buts personnels des partenaires et les buts communs du couple, en plus de mettre en lumière les valeurs communes.

1. De chaque côté du *mont des Buts-communs*, les partenaires inscrivent respectivement les projets personnels de chacun.
2. Indiquez au sommet le ou les principaux projets ou rêves qui soudent votre couple ou que vous aimeriez réaliser avec votre partenaire.
3. Vous pouvez aussi indiquer les valeurs partagées par les deux partenaires.

La carte du mont des Buts-communs d'Ariane et Vincent

1a. Les buts personnels d'Ariane: mieux danser le tango, se perfectionner en tant qu'avocate et apprendre l'allemand.

1b. Les buts personnels de Vincent: faire une exposition de photos et continuer à créer des logiciels.

3. Au sommet de leur *mont des Buts-communs* se trouve le projet d'élever une famille.

4. Les valeurs qu'ils partagent: le dépassement de soi et le respect de la famille.

Cartes vierges du mont des Buts-communs

Exercice 10

Votre Aventure amoureuse

L'*Amour* est un vaste pays et je n'ai certainement pas exploré toutes ses régions. Vous êtes donc libre de vous approprier des lieux que vous aurez vous-même découverts, ou de renommer des lieux déjà découverts (après tout, l'Amérique ne s'est pas toujours nommée ainsi!). Sur cette dernière carte entièrement vierge, vous êtes invité à refaire le trajet de votre propre Aventure amoureuse en y créant vos propres lieux.

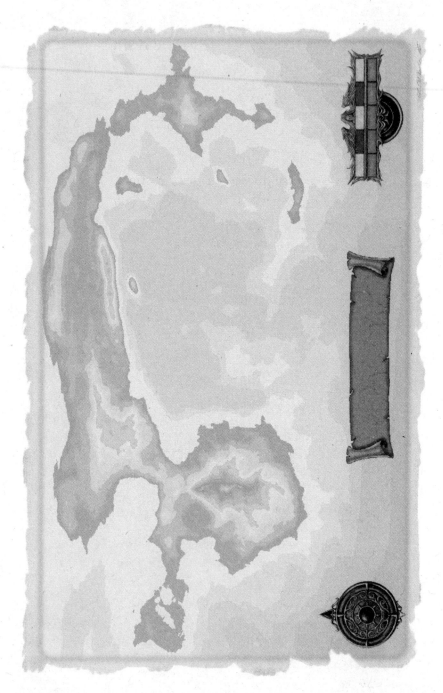

Bibliographie

La bibliographie est divisée en deux sections, d'abord les ouvrages de référence associés spécifiquement aux cartes et ensuite les ouvrages de référence généraux.

Ouvrages de référence pour les cartes

Carte 1 : Les terres de l'Amour-naissant

ALBERONI, F. *Je t'aime : Tout sur la passion amoureuse*, Paris, Plon, 1997.

ALBERONI, F. *Le choc amoureux : L'amour à l'état naissant*, Paris, Éditions Ramsay, 1981.

FISHER, Helen. *Pourquoi nous aimons ?*, Paris, Robert Laffont, 2006.

VÉZINA, Jean-François. *Les hasards nécessaires : La synchronicité dans les rencontres qui nous transforment*, Montréal, Éditions de l'Homme, 2001.

VÉZINA, Jean-François. *Se réaliser dans un monde d'images : À la recherche de son originalité*, Montréal, Éditions de l'Homme, 2004.

Carte 2 : La vallée du Quotidien

PEREL, Esther. *L'intelligence érotique : Faire vivre le désir dans le couple*, Paris, Robert Laffont, 2007.

SAVAGE, Elayne. *The breathing room : Creating space to be a couple*, Oakland, New Harbinger Publications, 2000.

Carte 3 : L'île de la Dépendance

BAUER, Jan. *L'amour impossible : La folie nécessaire du cœur,* Montréal, Le jour éditeur, 2000.

POUDAT, François-Xavier. *La dépendance amoureuse,* Paris, Odile Jacob, 2005.

REYNAUD, M. *L'amour est une drogue douce en général,* Paris, Robert Laffont, 2005.

Carte 4 : La jungle des Jeux-de-pouvoir

FERGUSON, D. *Reptiles in love : Ending destructive fights and evolving toward more loving relationships,* San Francisco, Josesey-Bass, 2006.

KAUFMAN, Jean-Claude. *Agacements : Les petites guerres du couple,* Armand Collin, Paris, 2007.

O'HANLON, Bill et Pat HUDSON. *Stop blaming, start loving : A solution oriented approach to improving your relationship,* New York, W.W. Norton, 1996.

Carte 5 : L'aire du Respect

DE BOURBON BUSSET, Jacques. *La différence créatrice,* Paris, Éditions de Cerf, 1979.

Carte 6 : Les plaines de Confiance

O'HANLON, Bill et Pat HUDSON. *Stop blaming, start loving : A solution oriented approach to improving your relationship.* New York, W.W. Norton, 1996.

O'HANLON, Bill et Pat HUDSON. *Rewriting love stories : Brief marital therapy,* New York, W.W. Norton, 1993.

Carte 7 : Le mont des Buts-communs

GILBERT, Daniel Todd. *Et si le bonheur vous tombait dessus,* Paris, Robert Laffont, 2007.

O'HANLON, Bill et Pat HUDSON. *Rewriting love stories : Brief marital therapy,* New York, W.W. Norton, 1993.

Carte 8 : L'Amour-durable

DE BOURBON BUSSET, Jacques. *L'amour durable,* Paris, Gallimard, 1969.

DE BOURBON BUSSET, Jacques. *La différence créatrice,* Paris, Éditions de Cerf, 1979.

GOTTMAM, John et Nan SILVER. *Les couples heureux ont leurs secrets : Les sept lois de la réussite,* Paris, J-C Lattès, 2000.

Ouvrages de référence généraux

CHARRIER, Thierry. *Vitriol : Voyage vers une folie raisonnable,* Paris, Thélès, 2007.

Collectif réuni par Alban Cerisier. *Il était une fois le Petit Prince,* Paris, Gallimard, 2006.

CORNEAU, Guy. *L'amour en guerre : Des rapports hommes-femmes, mères-fils, pères-filles,* Montréal, Éditions de l'Homme, 1996, 2004.

FISHER, Helen. *Histoire naturelle de l'amour,* Paris, Robert Laffont, 1994.

GODIN, Pierre. *René Lévesque, l'espoir et le chagrin,* Montréal, Boréal, 1999.

MOORE, Thomas. *Le soin de l'âme,* Québec, Flammarion, 1994.

MOORE, Thomas. *Soul Mates : Honoring the mysteries of love and relationship,* New York, Harper Collins, 1994.

Scudéry, Madeleine. *Clélie, l'histoire romane,* Paris, Gallimard, 2006.

SWAAJI. *Notre continent intérieur : L'atlas imaginaire,* Autrement, 2000.

WELWOOD, John. *Perfect love, imperfect relationships,* Boston, Trumpeter, 2006.

Suggestions de films

L'Amour-naissant : *Traduction infidèle,* Sophia Ford Coppola, 2003.

La vallée du Quotidien : *Eternal Sunshine Of The Spotless Mind,* Michel Gondry, 2004.

L'île de la Dépendance : *Pour l'amour d'une femme,* Luis Mandoki, 1994.

La jungle des Jeux-de-pouvoir : *Notre histoire,* Rob Reiner, 1999.

La guerre des roses, Danny De Vito, 1989 ; *Le projet d'Alexandra,* Rolf de Heer, 2003.

L'aire de Respect : *Forrest Gump,* Robert Zemeckis, 1997.

Les plaines de Confiance : *Titanic,* James Cameron, 1997.

Le mont des Buts-communs et le sentier du Jeu : *Jeux d'enfants,* Yann Samuell, 2003.

L'Amour-durable : *Les pages de notre amour,* Nick Cassavetes, 2004.

Remerciements

Ce livre n'aurait jamais pu voir le jour sans les récits courageux de tous ceux et celles qui viennent chercher un sens à leur relation dans la petite tourelle de mon phare de la rue Salaberry à Québec. Je les remercie chaleureusement pour leur confiance.

Je tiens aussi à remercier toutes mes anciennes compagnes qui m'ont tour à tour préparé pour le voyage que j'effectue actuellement. Je songe particulièrement à Bérénice, alias Constance Chlore, et à notre relation échouée dans l'*abysse des Amours-impossibles*. Elle est la mère des *Hasards nécessaires* et a contribué significativement à la naissance de ma carrière d'auteur.

Je dois des excuses à toutes celles que j'ai pu blesser dans mes précédents voyages. Qu'elles me pardonnent mes maladresses et mes faux pas alors que je découvrais à peine le pays de l'*Amour*.

Je suis reconnaissant à tous les anciens partenaires de ma conjointe, qui lui ont montré le chemin et ont contribué à créer la merveilleuse compagne de voyage qu'elle est devenue.

Je remercie mes parents d'avoir voyagé ensemble pendant près de cinquante ans et de m'avoir offert un modèle inspirant.

Je désire souligner la confiance des Éditions de l'Homme, qui ont rendu possible l'aventure d'un troisième livre, et le travail remarquable de Brigitte Lépine, qui a révisé mon manuscrit avec respect et professionnalisme. Je voudrais aussi remercier Diane Denoncourt, qui a précieusement supervisé l'adaptation de mon atlas au format du livre.

Ma gratitude va aussi tout spécialement à Bill O'Hanlon, qui a joué un rôle important dans la création de ce livre. Je l'ai rencontré à l'été 2006 à Cape Cod, à l'occasion de son inspirant séminaire sur la thérapie de couple et le cinéma. Puis, j'ai eu l'occasion de me familiariser avec sa pensée unique, créative et pratique lors de son séminaire de 2007, toujours à Cape Cod. C'est un être profondément original et intègre, un psychologue et un communicateur hors pair dont l'apport a été important pour la création de ce livre. Il a su garder sa capacité de jouer, que malheureusement trop de psychologues ont perdue de nos jours...

Je tiens aussi à remercier les personnes qui forment mon petit comité de lecture (elles sont des îles sécurisantes pour moi dans l'aventure de l'écriture), dont Isabelle Forest, dont la franchise m'a toujours été bénéfique malgré la semaine intensive de corrections qu'elle m'a occasionnée. Je remercie aussi Anne-Marie Mongrain, Chantale Landry, Sophie Lorgeau, Andrée Fortin, Anique Poitras ainsi que Pierre Ringuette, qui m'a fait changer mon titre *L'atlas imaginaire de l'Amour,* en me faisant comprendre que personne n'a envie de lire un atlas...

Puis, comme toujours dans un processus de création, la synchronicité s'est mise de la partie grâce au livre *Vitriol: Voyage vers une folie raisonnable,* de Thierry Cherrier, que j'ai reçu, par l'un de ces hasards nécessaires, par la poste, quelques heures seulement avant mon départ pour Cuba, où je me rendais pour terminer ce livre. Cet ouvrage m'a permis de trouver des réponses à plusieurs questions demeurées en suspens.

L'invitation de Marc Richard, de la Commission de toponymie de Québec, à donner un atelier a aussi été un hasard nécessaire fort stimulant. J'ai toujours été passionné par la toponymie et j'ai découvert là-bas des gens formidables qui luttent pour la survie de leur organisation, et doivent faire face à des compressions draconiennes. La toponymie d'un pays est fondamentale et mérite un investissement plus grand à mes yeux.

Je désire remercier Mme Myriam Bourgault, qui m'a permis de donner une conférence sur ce livre, alors qu'il était encore en chantier, le 14 février 2007 à la salle Daniel-Johnson du complexe G de Québec.

Dans un tout autre registre, je souligne l'apport d'une compagnie de briques incroyablement bruyante, dont je vais taire le nom pour ne pas leur faire de publicité. Elle m'a poussé, pendant plus d'un an et demi, alors que ses travailleurs prenaient tout leur temps et enlevaient les briques de l'édifice adjacent à mon loft, à chercher refuge hors de chez moi et à découvrir de sublimes coins du Québec et d'ailleurs. Sans elle, je n'aurais pas fréquenté les nombreuses îles qui ont permis la rédaction de cet ouvrage. Je songe ici à la beauté de Cape Cod, à l'ambiance unique de l'île Verte, à la chaleur des habitants de l'île d'Orléans. Je tiens à souligner tout spécialement les fabuleuses et majestueuses îles de la Madeleine. J'y ai fait la rencontre de Nicholas et de toute l'équipe du Bistro du bout du monde, dont les soirées bien arrosées ont inspiré quelques passages de ce livre.

J'ai terminé mon livre à Cuba, qui m'a offert ma première turista. Je ne lui en tiens pas rigueur, car pour moi, la turista pourrait être la douce et légitime vengeance des habitants de l'Amérique latine contre les descendants des explorateurs qui l'ont contaminée, à l'époque de Cortès et des impitoyables conquistadors...

Je suis reconnaissant à l'un des derniers vrais troubadours, Sting, et à ses chansons sublimes sur l'Amour, qui ont agrémenté l'écriture de ce livre. Nul poète ne traduit aussi bien que lui la beauté du pays amoureux.

Ma reconnaissance va aussi à la compagnie Pro Fantasy, qui a conçu les logiciels *Campaign Cartographer* et *Fractal terrain*, que j'ai utilisés pour la conception des cartes. Ce livre m'a demandé beaucoup de temps et d'efforts, mais grâce à ces logiciels, le travail sur les cartes a été grandement facilité.

Je ne saurais terminer ce livre sans remercier la mère de ma précieuse compagne de voyage, qui a traversé avec courage une terrible maladie pendant la création de ce livre. Elle a été pour moi un modèle de courage et de détermination. Je remercie aussi son père, qui aime taquiner les psychologues et qui a montré le chemin de l'*Amour* à sa fille. Ils ont persévéré dans leur Aventure amoureuse et je les remercie d'avoir mis au monde un être si exceptionnel.

Enfin, je dois ce livre à Isabelle. Sans elle, il n'aurait tout simplement pas été possible et mon véritable pays de l'*Amour* n'aurait peut-être jamais été découvert...

Vieux-Port de Québec, octobre 2007

Contact

Pour obtenir la trousse contenant les cartes en couleurs et en plus grand format, ou encore pour organiser une conférence, un atelier, ou simplement connaître les activités de Jean-François Vézina :

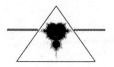

Jean-François Vézina, M.Ps.
975, av. De Salaberry
G1R 2V4
Québec, Canada
Tél. : 418-523-5643

www.jfvezina.net
jf@jfvezina.net

Table des matières

Du même auteur

Jean-François Vézina

Préface de Michel Cazenave

Les hasards nécessaires

La **synchronicité** dans les **rencontres** qui nous **transforment**

LES ÉDITIONS DE L'HOMME

Jean-François Vézina

Se réaliser dans un monde d'images

À la **recherche** de son **originalité**

LES ÉDITIONS DE L'HOMME

Achevé d'imprimer au Canada
sur papier Quebecor Enviro 100% recyclé
sur les presses de Quebecor World Saint-Romuald

100%